生きることの意味

わたしたちはどう生きるのか

北村博文

東京図書出版

は じ め に

　わたしの手元に「道しるべ」と題する1部のコピーがある。

　2009年10月、わたしは妻と高校1年から小学5年までの三人の娘を残して初めての単身赴任生活を送ることになった。持て余す時間を埋めながら、娘たちとの繋がりをなくさないようにと、わたしは10回にわたり娘たちにメールを送った。こんな書き出しで。

　　お姉ちゃんの●●には以前、「何のために勉強するのか」と話したことがある。多分もう覚えていないだろう。あのときもお父さんの真意は伝わらなかったかもしれないけれど。お父さんが伝えたかったことを改めて整理して話せばこんなことになるだろうか。

〜　なぜ勉強するのか。それは、自分と自分の周りの自然、社会を理解するためです。自分が存在するこの世の中を理解することで、「限られた人生をどう生きるか」、「よりよい生き方とは何か」を考えることができるようになるからです。

　　太古の昔、人類にとってこの世界は分からないことだらけでした。なぜ明るいときと暗いときが規則正しく繰り返すのでしょうか。燦然とまばゆい天球の光の源は何なんだろうか。青空にふんわりと浮かぶ白いものや夜空に煌めき瞬く小さな粒は何なのか。空から時々水が落ちてきたり、ときどき轟音とともに火花が空を飛んだりするのはなぜですか。どうして360回の日がめぐると季節が一巡して元の気候になるのですか。なぜこの世の中には4本足の動物や羽のある鳥など多くの種類の生き物がいるのか。木が熱くなると燃えて土になり、水をかけると火が消えるのはなぜか。人は死んだらどうなるのか。人はどこ

I

から来てどこに行くのか……。

　これらの疑問は、世界の多くの場所で、我々人間をはるかに超越する神々の話（ギリシア神話などの神話がそうだ）や、創造主（キリスト教の「神」などこの世界を作った存在のことだよ）から啓示された教えによって説明されてきました。ここ400〜500年の間に、自然科学と呼ばれる学問が急速に進歩しました。その結果、神話は、物理や化学に人類の教導者の座を明け渡しました。いまだに、自然科学によってすべての事が説明できるというわけではありませんが、科学の進歩は宗教の地位をも脅かしています。科学技術の発達のおかげで、人類は、より快適な生活を送ることができるようになりました。少ない労力で多くの収穫を得ることができるようになり、食糧事情の好転や生活環境の改善は健康な生活をもたらし、病気になっても、薬や手術で健康を維持回復することができるようになりました。日本を含む先進国は人口の増加と長寿を達成したのです。でも、科学の進歩で得られた知識により明らかにされている世界というものは、どのようなしくみ、構造になっているのでしょう。まだ解明されていないことはどんなことでしょうか。科学が進歩しても知識により明らかにされることはない世界認識というのはあるのでしょうか。

　「人は社会的動物である」と言ったのは2500年近く前にギリシアに生きた哲学者アリストテレスでした。アリストテレスが言った意味とは少し違いますが、人は一人では生きていくことはできませんね。蟻や蜂が、女王や兵隊やオスに分かれて集団で巣を作って生活するという複雑な分業体制から成る社会を構成していることはよく知られています。人類は、技術を開発利用しながら、分業によって社会・経済の効率化を広く深く推し進めてきました。お金を払えばスーパーで色々なものを買うこ

とができるけれど、自分で作ったものが何か一つでもあります
か。蛇口をひねれば水が出て、スイッチを入れればテレビが点
く。電車に乗って高速で移動できるし、美容院でカットもシャ
ンプーもしてもらえるけれど、自分がするのは代金を払うだけ
ですね。このような複雑に高度化した社会はどうやって運営さ
れているのでしょう。それを完全に理解するのは困難なことだ
と思います。でも、自分が生活している社会のことを、存在す
るのが当たり前のものとして毎日過ごしていませんか。だれが
どのように役割分担をするのかということを誰が命ずるのでも
なく、あるいは、みんなの合意・了解・努力がない状態で、自
然に今日の日本のように複雑な社会が成立し、維持できるもの
だと思いますか。

　今の日本では柔らかなベールに包まれていてよく見えません
が、かつて、ムラからクニが生まれたころに、分業体制が権力
と富の偏在（へんざい）を生じさせ、支配者と被支配者を生み出した歴史が
ありましたね。東洋では為政者（いせいしゃ）（君主などの権力者のこと）に
「徳」を求める儒教があり、西洋では普遍的な「愛」を唱える
キリスト教があり、このような精神構造の上に国家が成立した
ことは、国家や君主によって国民が虐（しいた）げられることが少し和ら
いだ、という意味では幸いなことでした。近代になって、西洋
では最大多数の最大幸福、自由と平等を求める闘いが繰り広げ
られました。今日の社会は、その結果としてあるのです。こう
した歴史についての自覚がなければ、この社会を維持発展させ
るために必要な努力も生まれないでしょう。

　少し、論点が拡散してしまいました。話を元に戻しましょう。
　なぜ勉強するのか。それは、いま話したような、世界の不思
議、世界の成り立ち、世の中の仕組みを勉強して理解すること
によって、自分はこの世の中でどのように生きたら良いのか、

どのような生き方をしなくてはいけないのか、を考える手だて
を得るためなのです。（以下略）

わが子あてのメモとは言え、こなれない文章で読み返すと恥ずか
しい。その恥の上塗りとなることを承知で、このたび、この「娘た
ちへの手紙」にその後に得られた知見や少しは深まったかもしれな
い自分の考えを加えてまとめることとしたのだが、そう思いいたっ
た理由はいくつかある。

一つ目は、これからの世界を良くするために、多くの人に「自分
の頭で考える」ように訴えたいということだ。

かつて産業革命によって人類は重労働から解放され、技術は飛躍
的に進歩したが、急速な工業化は劣悪な環境で長時間労働を強いら
れる大量の労働者を生み出した。彼らの悲惨な状況を前にして、マ
ルクス（1818－1883）は生産手段を資本家の手から奪取する社会
主義革命を理論化し、『共産党宣言』で「万国の労働者、団結せよ」
と訴えた。それが彼のヒューマニズムの発露であったことは疑えな
いが、「共産主義という幽霊」がその後150年近くにわたり世界に
多くの厄災をもたらしたことも否定できない。

ところで、今日、情報革命は新たな段階に入ったように思われ
る。AIはディープラーニング（深層学習）を通じて、チェスより
もはるかに複雑な囲碁の世界でも人間の能力を凌駕し、新奇で創
造的な手筋を生み出している。状況を文章にしてニュース記事を作
らせたり、モーツァルト風と指定して作曲をさせたりすることも可
能だという。経理書類の作成といった「機械的」作業はもちろん、
これをチェックする税理士など多くのホワイトカラーの仕事や工場
の生産ラインの保守管理といった仕事もAIに置き換えられていく
だろう。産業革命からのち、人間は機械では代替できない作業を仕
事としてきたが、その多くの仕事、特に「知的労働」とされてきた

かなりの仕事がなくなってしまうだろう。この状況に対応できない人々は転職もままならない。その一方で、インターネットとAIを駆使するGoogleやバイドゥ（百度）は、GPS機能や検索エンジンを通じて人々の行動や嗜好を把握し、広告を通じて彼らの購買意欲を刺激したり活動を呼び起こしたりすることもできるようになっている。欲望と心を支配されていると気がつかないままに私たちは彼らが命ずる物やサービスを「自発的に」買わされる。

19世紀にマルクスがブルジョアジーとプロレタリアートという形で見た「格差と分断」が、情報を通じて世界を操る富裕層と才覚なく操られる大多数（貧困層とは限らないが）という形で再現されようとしている。

その「格差と分断」を埋めていくことが政治、あるいは民主主義を通じて政治を方向付ける国民に求められていると思うのだが、テレビや新聞を通じて世界各国の様子を見る限りでは、世の中はそのような方向に進んでいないようだ。政党は主導権を求めて対立し、国民、時としてマスメディアも反対党の主張だから反対したり、反対派の主張の根拠を「嘘」と決めつけたりしているように見える。SNSの広がりは同じ主張の人々を結び付け、この分断を増幅している。

だから、今、必要なことは、私たち一人ひとりが、現象面に振り回されるのではなく、だれかの主張を丸呑みするのではなく、何が大切なことなのか原点に立ち戻って考えることだと思う。この本で私なりの答えを示すことで、他の人たちにも、「自分の頭で考える」ことを促したい。これが本書を上梓する第一の理由である。

二つ目の理由は、わたしが35年余りの公務員生活を終えたことである。

公務員にも表現の自由はある。職務に関して知り得た秘密を漏らすことは禁止されているし、漏らせば処罰の対象だが、本書にはそ

のような秘密はない。仕事をさぼって執筆すれば「職務専念義務違反」となるし、副業に当たらないことを明確にするために、あるいは仕事に支障のない副業であることを認めてもらうために、上司の許可は必要だが、公務員が書籍を出版したり、小説を書いたり、論文を発表すること自体は珍しくない。とはいうものの。

　わたしは公務員生活を通じて多くの方の知遇を得、全国各地で、また、様々な職場でとても貴重な体験と経験をした。仕事にはまじめに取り組んでそれなりに職責は果たしたと思うが、こうしたこともひとえに上司や同僚諸兄の御厚情の賜物と感謝している。だから、わたしが公務員生活を継続する中で本書のようなものを世に問うことが、何か仕事に不満を抱えていることの表れではないかと誤解されることをおそれたし、非才なわたしが浅薄な知識を披露することが批判されて上司や同僚に迷惑をかけることは避けたかった。

　信じられないかもしれないが、公務員として勤務する中で出会ったすべての方々がわたしに親切でわたしを助けてくれた。なんと幸せなことか。だから、この幸せをつまらない1冊のために台無しにはしたくなかったのだ。

　本書をまとめることにした最後の理由は、口幅ったいが「読書のすすめ」である。就職してこの方、歴史小説と推理小説ばかり読んでいたわたしが、いわゆる「古典」を読むようになったのは、2006年1月、転勤で家族とともに大阪から東京・早稲田に引っ越してからだ。当時はまだ早稲田通りを西早稲田の交差点から高田馬場の方向に行くと古本屋が結構あって、岩波文庫が1冊100円で売られていた。『創世記』、『ガリア戦記』、『ゲルマニア』、『孟子』、『史記列伝』、『古事記』、『大鏡』、『愚管抄』といった古典、受験勉強で作者名とタイトルだけ暗記した本を手当たり次第に読んで、自分の世界が広がった。

「天は人の上に人を造らず人の下に人を造らずと言えり」とは明治

初期に一大ベストセラーとなった福沢諭吉の『学問のすゝめ』の冒頭であるが、「されども今広くこの人間世界を見渡すに、かしこき人あり、おろかなる人あり、貧しきもあり、富めるもあり、貴人もあり、下人もありて、その有様雲と泥との相違あるに似たるはなんぞや。……されば賢人と愚人との別は、学ぶと学ばざるとに由って出来るものなり。」[注1]と続いていく。頭を使う仕事は難しく、こういう仕事をする医者、学者、役人、大商人は「身分重くして貴き者」となる。「人は生れながらにして貴賤貧富の別なし。ただ学問を勤めて物事をよく知る者は貴人となり富人となり、無学なる者は貧人となり下人となるなり。」という一文を読んで「だから『学問のすゝめ』なのか」と理解した。

　一連の娘たちへのメールはこの頃の読書体験を経て得たわたしなりのものの見方を伝えようとしたものだ。多くの人にも歴史を耐えて受け継がれてきた書籍を読んで世界観を広げてほしいと思い、今回一冊の本として整理するに当たり、少しは読書案内になるように名著を引用してみた。「自分の頭で考える」ことが必要だが、すべてを自分の頭で発見することはできない。先人の知恵を借り、これに学び、しかし、常に「ほんとうかな」と思う健全な懐疑心をもって「自分の頭で考える」ことが大事だと思うから。[注2]

（注1）『学問のすゝめ』岩波文庫、1942年
（注2）したがって、以下論じるところに同意いただけるならそれはうれしいことではあるが、同意いただけなくても良い。肝腎なのは「自分の頭で考える」ことだから。
　　　　表現の自由「さえ」確保されていれば、さまざまな考えや意見の中から最も適切なものが浮かび上がってくるだろう。だから、わたしの愛読書『自由論』（1859年）においてジョン＝ステュワート＝ミル（1806－1873）が述べたように「意見の自由および意見を発表することの自由が、人類の精神的幸福（人類の他の一切の幸福の基礎をな

しているところの幸福）にとって必要なこと」（岩波文庫、1971年、塩尻・木村訳「第二章」）は忘れないようにしたい。

目　次

はじめに ....ⅰ

第1章　人はどのように感じ、認識するのか 11

生老病死　四苦八苦 11

　1．おいしいものには栄養がある。年を取ると太る
　　のはなぜ？ 14

　2．暑い、寒い。風邪をひくと熱が上がるのは？ 20

　3．苦痛と快楽の由来。笑う、泣く、動物も？ 25

　4．私の見る青はあなたの見る青か。美しいって
　　なんだ？ 31

　次へのステップ 36

　　余録　西洋哲学における認識論 37

第2章　生命の本質は何か、生きているとはどう
　　　　いうことか 42

馬と鹿の違い・イデア論と不滅の魂 42

　1．生と死のはざま。今日の私は昨日の私か？ 45

　2．DNAの発見。生命は暗号か？ 51

　3．発生と恒常性。その先にあるものは何か？ 57

　4．自己保存と種の保存。如何(いか)にして遺伝子を

リレーするか？ 63

次へのステップ 69

　余録　人格の同一性 71

第3章　**人に不変・普遍の真実はあるのか** 75

プロタゴラスとソクラテス 75

　1．快楽と善。神が理性を与えたのか？ 78

　2．社会的動物と善。人間特有の事情は何か？ 85

　3．道徳と法律。なぜ道徳教育が必要か 92

　4．道徳設計の在り方。基本原理は何か？ 102

次へのステップ 110

　余録　自由について 114

第4章　**私たちはどのように生きるべきか** 119

正義論の系譜　公共善〜社会契約〜功利主義〜 119

　1．社会問題の見方。持続可能な世界と私たち 124

　2．既存の道徳観との調和。共通物語づくり 134

　3．21世紀の課題。情報革命、AI時代を生き延びろ 142

　4．生病老死。生きることの意味 152

　余録　キリスト教と明治の日本人 160

明日へのステップ 165

第1章　人はどのように感じ、認識するのか

生老病死　四苦八苦

　日本人の宗教は仏教だ、といわれることが多い。確かにお葬式は仏式で行われることが多い。お寺さんにお願いすると、死んだ人に戒名を授けてもらえる。「なんとか居士」とかいう戒名は、仏教において、仏門に入り仏弟子となった証しとして、戒律を守るしるしとして与えられる名前だ（本当は生きているうちに修行したりして授けられるものなので、死んでからもらうのは本来の姿ではない）。そういうことも知らない人が多くなった。祖父母と生活を共にしない核家族化が進む中、また、故郷を遠く離れて独立した我が家のように、自分の実家の近くに先祖代々の墓がないということになれば、自分の親が死ぬまでは、お坊さんの話を聞いたり、仏教の教え＝教義に接したりする経験がない、ということが普通に起きる。

　2500年以上の昔、インドのシャカ族の王子として生まれたガウタマ＝シッダールタ（前563頃－前483頃？）は、この世の中が、生まれる苦しみ、病に倒れる苦しみ、年をとり老いる苦しみ、死ぬ苦しみと、苦しみに満ちていること、さらに、人間はこの苦しみの世を輪廻転生（何度も生まれ変わること。人は死ぬと色々な生き物に次々と生まれ変わるという見方が古代インドの世界観であった）しなければならないという、一段と大きな苦しみに囚われていることに大いに悩んだ。そしてこの永遠に回転する苦しみからの脱出、輪廻からの解脱を求め、29歳の時に妻子を捨てて修行の旅に出た。

　四苦八苦という言葉がある。たいていは「非常に苦労する」という意味に使われている。この四苦八苦というのは、仏教における苦しみを分類する用語だ。仏教においては思い通りにならないこと

を「苦」としている。思い通りにならないと「苦しい」ということだろう。だから仏教の「苦」というのは日本語で普通に使う「苦しさ」よりは少し広い意味になる。四苦八苦というのは、4つの「苦」、8つの「苦」ということ。四苦は生・病・老・死を、八苦はこれに怨憎会苦・愛別離苦・求不得苦・五蘊盛苦を加えたものを指している。生病老死はもう説明した。あとの4つは、憎むものに会うこと、愛するものと別れること、欲しくても得られないこと、身体が色々に感じること^(注1)である。

　修行に出たシッダールタは、その後6〜7年間、有名な師についいたり、苦行をしたりしたが、真理に到達することはできなかった。そして、苦行の方法を捨て、瞑想の方法を用いることによって、真理を得た。以後、シッダールタは「ブッダ」と呼ばれる。もともとのインド語では「ブッダ」というのは「目覚めた人」を意味している。最高の悟りを開いた人ということだ。その教えが中国に入ってきたとき、漢字の「仏」を「ブッダ」に当てた。ブッダの教えが仏教と呼ばれることになった。その教えである4つの真理（四諦）とは、①この世は四苦八苦の苦しみに満ちている。②この苦しみには原因、源があり、それは「煩悩」である。③煩悩も苦もない「涅槃」の境地があり、煩悩から解放された「解脱」の世界がある。④解脱して涅槃を実現するための方法（中道、八正道と言われる。正しい生活、正しい倫理から瞑想を行うこと）がある、というものである。

　さて、現代の日本人は、まことに幸せな時代に生きている。テレビドラマでもないのに「生まれ変わったらまた一緒になろうね」と言う人は少ないと思うし（テレビドラマでも言わないな！）、人は死んだら生まれ変わると信じている日本人がどれくらいいるかは分からないが、日本人にとって「生まれ変わること」が悪いイメージで捉えられることはあまりない。しかし仏教の根本は、苦しみに満

ちたこの世に再び生まれ変わるという苦しみ、輪廻からの脱出を目指すことにある。再びこの世に生まれてくることのない方法をブッダは悟ったのだ。仏教的思想の根幹は、現世に再生しないための信仰、修行法にある[注2]。再びこの世に生まれ変わることを絶望しなくてもいい時代に生きているのは幸せなことだ。歴史上、そのような時代のほうが珍しいから。もっとも、そのように考えてくると、「日本人の宗教は仏教だ」と言ってよいのかためらわれることではある。

　本題に戻ろう。この世は自分の思うようにはならない。そこから苦しみが生ずる。この苦しみ、不幸は、正しい生活をしていても降りかかる。その一方で、何不自由なく快楽に満ちた生活をしている悪人もいる。このような「不当な苦難」の「不公平な配分」という現実は残念なことだが厳然として存在している。この世に生きる私たちは、このことをどう理解したらよいのだろうか。

　宗教、あるいは教団は、この現実に対するひとつの考え方、答えを私たちに示してくれる。それによると、正しい者は死んだ後、天国や極楽に行ってよい生活ができたり、最後の審判の日に復活できたりするのに対し、悪人は死ねば地獄に堕ちる。だから、どんな苦しみに見舞われようと、今を正しく生きることが将来の絶対的な幸福につながるのだ。現世の苦楽は幻のようなものなので、これに惑わされてはいけない、と宗教は教えるのだ。確かにそう考えれば生きることの苦悩は減るだろうし、悪いやつは地獄に堕ちると思えば少しは気も晴れる。何よりも「死」に対する恐怖から逃れることもできる。しかし、本当にそうなのか。来世のために現世があるのか。生きることの意味は何か。私たちはどう生きるべきなのか。

　そのことについてこれから考えてみたいが、考えは一歩ずつ進めていかないとよく理解されないだろう。だから、まず、この章では、「苦痛とは何か」、「快楽とは何か」、「認識とは何か」というよ

うなことを考えてみたい。

　（注１）五蘊とは人間を構成する色・受・想・行・識の五要素で、色は形あ
　　　　　るもの全て、受は物事を見る感覚、想は見たものを心に思うこと、
　　　　　行はそのことについて意思・判断すること、識はこれらを総合して
　　　　　判断・認識することを指す。この人間の肉体や精神の働きが煩悩を
　　　　　生み、苦しみの元となっているということが五蘊盛苦である。
　（注２）仏典の中でも特に古いとされる「スッタニパータ」では「かの尊き
　　　　　師、尊き人、覚った人」であるゴータマは遍歴の行者サビヤに質問
　　　　　されて「あらゆる宇宙時期と輪廻と（生ある者の）生と死を二つな
　　　　　がら思惟弁別して、塵を離れ、汚れなく、清らかで、生を滅ぼしつ
　　　　　くすに至った人、── かれを〈目ざめた人〉（ブッダ）という。」と
　　　　　答えたとされている（『ブッダのことば』岩波文庫、1984年、中村訳
　　　　　「第３　六、サビヤ」）。

１．おいしいものには栄養がある。年を取ると太るのはなぜ？

　日本人は概してカレーライスが好きだ。ゴーヤチャンプルとなると好きな人もいるし、嫌いな人もいる。

　わたしが生まれ育った関西では、納豆は普通には売っていなかった。豆腐屋にはあったのかもしれないが、記憶にない。テレビやマンガでしか見たことがなかった。甘納豆を食べたことがあったからなのか、かき混ぜると糸を引くというのがとろろ芋（山イモや長イモをすりおろしたもの）のイメージと重なったからなのか、そこは分からないけれど「納豆は柔らかいものだ」と何となく思っていた。だから、大学の食堂で初めて納豆を食べたときには大変失望したし、カレーだろうがみそ汁だろうが納豆をかけて（入れて？）食べる友人を見て、半ばあきれたものだ。

　わたしはセロリなど香りの強い野菜や、甘酒も苦手だ。

　世間を見渡しても甘いものが好きな人もいれば、辛党（からとう）もいる。

　ことほどさように、食べ物の好き・嫌いには個人差がある。英語でacquired tasteと言うように、段々と好きになっていく味覚というものもある（初めてビールを飲んだ時を思い出す）から慣れの問題も大きいだろう。世界にはカブトムシやアリを重要なタンパク源にしている部族もあるが、食べようと思う日本人は少ないと思う。(注1)

　しかし、食べ物の好き・嫌い、嗜好（しこう）の差があると言っても、程度問題だ。牛や羊は牧草をおいしそうに食べているけれども、人間は牧草を食べられない。その馬や羊の排泄物（はいせつ）をハエは食べているが、人間が食べるとたちまち病気になってしまうだろう。それに比べれば、人間の嗜好の個人差は知れている。基本的に、自分がおいしいと感じるものを他の人もおいしいと感じるのでなければ、レストランという商売は成り立たない。

　食べることは生きることだ。食べることが苦痛であったり、食べ物が与える味覚が苦しみしか与えなかったりするのなら、人は食べることを続けられないだろう。また、消化して栄養を取り込むことができるものも、消化できないものも、食べてみたとき同じ味覚しか与えないなら「正しく食べる」ことができず、やはり生きていくことは難しいだろう。「あるもの」をおいしく感じて、これを食べたいと思うことが何を意味するのか考えてみよう。これは、①ヒトは栄養を摂取しないと生きていけないこと、を前提として、②その「あるもの」は、ヒトがそれを食べると栄養を摂取（せっしゅ）できるものであること、を意味している。無理に対象を意識して選別しないでも栄養を摂取して生存を続けられるように、①食べて栄養を摂取できるものをおいしいと感じ、②おいしい物は食欲をそそる、ように人間は「できている」のである。自分の主観、あるいは鍛え上げた味覚（きた）

（？）によっておいしいと「感じている」つもりでも、実は、生存のためにおいしいと「感じさせられている」のだと言える。生きるために役に立つ食べ物をおいしい、栄養があるものをおいしい、と「感じさせられる」のだが、自分ではおいしいと「主体的に感じている」と考えているわけだ。確かめることはできないけれど、牛にとっての牧草や、ハエにとっての排泄物は、それぞれ彼/彼女らにとってはおいしいと感じる食べ物に違いない。

　最近やや太り気味である。運動不足と食べ過ぎのせいだと思う。若いころは細身だったのだが。

　そこで、ここから少し、太ることについて、また、年を取ると太ることについて考えてみる。

　まずは太ることについて。

　世はダイエットばやりである。体型を保ち、健康でありたいと願ってフィットネスクラブに通い、ホットヨガにお金をかける人も大勢いる。アメリカのビジネス社会では太っているのは自己管理ができない証左であるとして採用活動で不利になるという記事を読んだことがある。厚生労働省の「国民健康・栄養調査結果の概要」（平成30年）によると20歳以上の日本人のうち男性32.2%、女性21.9%が肥満（BMI＝体重（kg）/（身長（m))^{2}が25以上）ということだ（BMIではわたしはセーフだとひと安心した）。

　このことは、人類の歴史に大いに関わりがある。いつ人類が地球に登場したか、については様々な議論があり、私が高校生の頃は100万年から200万年前くらいとされていたが、近年の発掘調査の成果でこのタイミングはどんどん時を遡っているようだ。短めに見積もって人類200万年の歴史は、如何にして食べるか、飢え死にしないか、の歴史だったといえる。人類にとり、どの木の実が食べられるのか、どの草は毒があるのかを味覚と体験に基づいて知るこ

とは、文字通り「死活問題」であった。人類は、自分の周囲にその知識を伝え、動物を火であぶって食べることを学び、大きな動物を狩る方法を開発した。栽培という方法で穀物を増やすことや食べるために動物を飼いならすことができるようになったのは、精々1万2000年前のことである。食料事情は好転したが、これは人口の増加につながったから、結局、人類が飢えの脅威から解放されることはなかった。近代においても、アメリカ大陸からもたらされたジャガイモはヨーロッパの栄養状態を劇的に改善したが、1840年代の後半にジャガイモの疫病が大発生すると、ジャガイモに対する依存度が高かったアイルランドでは「ジャガイモ飢饉」により100万人が死亡し、同じくらいの人々がアメリカなどに移住したという。我が国でも、江戸時代の三大飢饉（享保の大飢饉・1732年、天明の大飢饉・1782－87年、天保の大飢饉・1833－39年）では冷夏や火山噴火で凶作となり、多くの人が飢え死にした。人類200万年の歴史から見ればほんの200年前のことである。

　如何に少ない食糧で生き延びるか、言い換えれば、食べた物の栄養を効率的に体内に取り込むことと、余った栄養があればこれを脂肪という形でより多く蓄えることが人類始まって以来のテーマであった（人類に限らず他の動物もそうであるから「人類始まる以前からのテーマであった」と言うべきだ）。そして、生き延びる上で有利な形質を保持した個体が生き延びてきたし、その形質は遺伝という形で子孫に伝えられた。太る体質は生存に有利だから、ヒトは食べ物が十分にあれば太るように「できている」といえる。飽食の時代になり、太るように「できている」というヒトとしての本質が肥満、糖尿病などで長寿にとっての足かせとなっているのは皮肉なことだ。[注2]

　なお、欧米人はアジア人に比べて太りやすく「できている」ようでもある。世界保健機構（WHO）ではBMI 30以上を肥満としてい

るが、2016年の資料を見ると肥満率（18歳以上、BMI ＞ 30）は、日本が4.4％に対して、アメリカは37.3％、イギリス29.5％、ドイツとロシアが25.7％となっている。東アジアの各国に目を転じると、韓国4.9％、中国6.6％、タイ10.8％、マレーシア15.3％で、軒並み20％以上の欧米より低い。アジアの人類はネアンデルタール人の血を少し受け継いでいるとされることと関係があるのか、気候・環境・食生活の差に由来するのかよくわからない。ナウルやクック諸島やトンガは50％を超えているから、「ヨーロッパのように寒い地方の人々は皮下脂肪が厚い方が生存に有利なために太りやすい」という仮説は成り立たなそうだが、そのようになっている「人類史」的理由はきっとあるのだろう。

　次に、年を取ると太ることについて。

　もちろん、若くても太っている人間はいる。学生時代は太っていたけど、結婚してからやせた、という人もいることはいる。

　しかし、一般的に、20歳のころと比べて、40歳のころには体重が増えていることが多い。

　ロシア人の女性の場合はその傾向が顕著・明白に見て取れる、と言われているが、ロシア人女性の知り合いがいないので、本当のところはよく分からない。それにしても、なぜ、人は年を取るに連れて太っていく傾向にあるのか。

　食べ物を食べて摂取した栄養をエネルギーとして使用しなければ、身体に脂肪として蓄積され、体重は増加する。これは若いか年寄りかには関係がない。摂取したカロリー量と消費したカロリー量との差が蓄積されるから、年を取ると太るのは、①年を取るとともに摂取するカロリー量が増えるか、②年を取るとともに消費するカロリー量が減るか、のいずれかである。個々人の事情は措くとして、年を取ると太るのは、代謝の低下が主要因であると言われてい

る。代謝には基礎代謝と活動代謝があるが、年を重ねることで筋肉の量や活性が低下し、基礎代謝量が落ちる。多くの人は運動量も減少して活動代謝量も落ちる。それなのに、食べる量が若い時と変わらないから年とともに太るというのだ。

　痩せたければ、運動をするのが良いことは良いが、1時間ジョギングしても1日に必要なカロリーの10分の1程度しか消費しないという。運動によって筋肉がつくことにより基礎代謝が上がることは期待できるが年を取るとなかなか筋肉にならない（筋肉をつけるにはタンパク質を取ることも大事だ）。結局、食べる量を加減することが有効だが、食べ方もポイントだそうな。血中のブドウ糖を脂肪に変えて取り込むには膵臓から分泌されるインスリンが必要だが、ドカ食いして血中の糖分の濃度（血糖値）が急激に上がると膵臓は大量にインスリンを分泌するらしい。そうすると多くのブドウ糖が脂肪になる。だから、同じ量を食べるにしても、何回かに分けて、時間をかけて、ちびりちびり食べる方が太らないそうだ。

　話のポイントが少しずれてしまった。

　年を取ると筋肉が減少し、代謝が低下するのに、飢えとの戦いの中で進化してきたヒトは食べることをやめられない（しかも、もともと余分なカロリーがあれば蓄えるように「できている」）から太ってしまう、というのが年を取ると太る理由である。[注3]

　ところで、この問題は、更に違う角度から眺めることもできると思う。それは、ヒトは、年を取ると太った方が生存に有利だから、年を取ると太るように「できている」というものだ。

　若いということは、からだが成長するということであるが、元気なのであまり病気で寝込むということがない、という特徴もある。一方、年を取ると、あちこちの具合が悪くなってケガもなかなか治らない（非活性化している）。病気で寝込むことも多くなってくる。寝込んでしまうと食べることが困難になり、食べられないとますま

す弱って命に危険が迫ることになる。年を取ると若い時以上に太っていることが生存に有利に働く。少しくらい寝込んで食べることができなくても、体にため込んだ脂肪を燃焼することで病気が治るまでの間エネルギーを取り出すことができるから。と書いてはみたものの、そのことを明らかにするだけの知識も能力も持ち合わせないから、この話は切り上げて次の項に進もう。

（注1）わたしは、子どものころ、友達の家で砂糖をまぶしてフライパンで炒めたハチの子を食べたり、友達が家で作ったイナゴの佃煮を学校でもらって食べたりしたことがある。少し前まで日本でもハチの子やイナゴを食べるのは普通のことだったのだ。だから、カブトムシやアリを食べるのはそんなにびっくりすることではないはずだが。

（注2）飢えとの闘いの歴史が終わったわけではない。ユニセフなどの国際機関によると、2018年に世界で8億2000万人の人々が十分な食料を得られなかったし、これは3年連続の増加だということだから。

（注3）太ることの生理学的な説明には、他のものもあって、その一つがホルモンの作用に着目するものだ。食事をして血糖値が上がると脂肪細胞からレプチンというホルモンが分泌され、これが脳の満腹中枢を刺激して食欲が抑えられるようになっているが、普段から食べ過ぎて肥満の人は血中のホルモンの濃度が常に高めで、レプチン耐性ができてしまい、食べても満腹感が得られないので食べ過ぎる。更に、加齢とともにレプチンの分泌機能が低下して食べ過ぎるというのだ。

2．暑い、寒い。風邪をひくと熱が上がるのは？

　二度目の単身赴任生活の舞台は札幌。

　2016年1月。正月休みを荷造りで過ごしながら、わたしは毎日天気予報に釘付けになった。東京よりも最高気温、最低気温ともに約10度低い。寒いのが（暑いのも）苦手なわたしは、●ニ●ロの

発熱作用のある下着を買い込んで、荷物に詰め込んだ。

　いざ札幌暮らしが始まると、帰宅時に玄関の寒暖計はマイナス5度前後。無人の屋内も（ありがたくもない一軒家だったので）似たような気温。速攻でガスストーブをつけて、一息つく。ストーブをつけたまま寝ると、喉を傷めたり、一酸化炭素中毒になったりする心配があるのでストーブを消して寝たら、数時間後に首筋の寒さで目が覚める。そこでマフラーをして寝る羽目に……。というスタートだった。

　夏の人事異動で日本海側の県に赴任した人からは「10月を過ぎると寒くなるのに合わせて晴れた日が少なくなる。暗い空に雪が舞い始めると長い冬の到来を知って、空の代わりに心がブルーになる」と聞いていたけれど、札幌の冬は晴天の日も多く、雪は湿り気がなく、みんな雪が降っても傘は差さずに歩いていく。寒いけれども気分が沈むことはなかった。むしろ、一番寒い時に赴任したから、「これからはよくなる一方だ」と考えることができたのはラッキーだったと思う。

　冬の厳しさは春の喜びを倍加させる。5月の連休になると、梅と桜とつつじがほとんど同時に花開き、大通公園の芝の緑は目にも鮮やか、その周りではきれいに植えられたパンジーが彩を添え、歩道の脇のチューリップや紫色のムスカリがかわいらしい。なぜかコスモスまで咲いていた。我が家の庭でもスイセンの花が清々しい。

　2年間の札幌暮らしで少しは寒さに強くなった気もするが、東京でひと夏過ごせばいままで通り、暑いのも寒いのも苦手な自分に戻っていた。

　「暑がり」、「寒がり」という言葉もあるから、暑さや寒さに「強い・弱い」には個人差がある。しかし、これも程度問題（あるいは「馴れの問題」）であって、気温が35度だと間違いなく暑いし、気

温が０度だと間違いなく寒い。私の場合は適温が20度から25度くらいの間で、その範囲が他の人よりも狭いようだが。

　北欧の寒い地域に住む人たちや北極圏に住むエスキモーの人たちは寒くないのか、赤道直下のケニアやコンゴに住む人たちは暑くないのか。尋ねたことはないけれど、テレビで服装を見る限りは日本人とあまり違わないだろうと思われるし、生物的にはそう考える根拠はある。

　人が暑さ、寒さを感じるのは、ヒトが恒温動物だからである。

　生命を維持するためには、すなわち、体を維持していくためには、食べた物をアミノ酸やブドウ糖などに分解し、これを体内に取り込み、たんぱく質を合成し、脂肪を蓄え、細胞を構成して、要するに代謝を行わなければならず、それには消化酵素やら細胞内のメッセンジャー RNA やらに化学反応をしっかりと行ってもらう必要がある。それには適切な温度がある。

　そこでヒトは体温を36度近辺に保つことが適切で、そう保たれるようにヒトの体は「できている」。

　栄養があるものを美味しいと感じるように「できている」のと同じことだ。

　栄養の場合は、血中のブドウ糖の量が少なくなる（血糖値が下がる）と、ため込んだ脂肪を分解してエネルギーを作り出す。それでも足りないということで空腹感を脳に与え、食べ物を求めさせる。これと同じようなことが体温についても起きる。体の熱は、代謝や運動に伴い、肝臓、心臓などの内臓や脳、筋肉で発生し、血液で身体全体に行き渡る（行き渡らない私の足の冷え性は辛い）。通常は外界の気温の方が低いので、この熱を発散しつつ平熱を維持している。寒暖に応じて身体は熱の発生・発散を調整している。血管は暑いと拡張し、寒いと収縮して熱の放出量を調整する。暑いと発汗して蒸発熱で体温を下げ、寒いと筋肉がブルッと震えて発熱し、毛穴

は閉じて（鳥肌）、体温が奪われるのを防ぐ。それでも足りないということで暑い・寒いの感覚を脳に与え、木陰に入らせたり厚着をさせたりする。また、汗をかくと喉の渇きを感じさせ、水分補給を促す。

　こうした体の変化は無意識のうちに起きる。意図しない、ということでは心臓その他の内臓の働きや肉体の代謝活動もそうだ。自分の身体は自分（あるいは「自分」というものを意識している自分の脳）がコントロールしていると過信しない方がいい。

　風邪をひくと熱が出るのも同様だ。

　細菌やウイルスが体内で無制限に増殖すると、身体機能が低下して死に至る。そうならないよう、人間の身体は抗体を作り出し細胞を守る機能（免疫能力）が備わっている。風邪をひいて熱が出ると、細菌やウイルスは一般に熱に弱いのでその増殖が抑えられ、他方で白血球の殺菌能力や免疫能力を高める。だから、ちょっとした熱なら解熱剤を飲まない方がよい。そうは言っても40度にもなると心臓や脳への負担が大きく、発作や引きつけの原因になるから、ガマンすればよいというものでもない。

　年を取ると太ること、との対比で言うと、大人になって寒がりになったように思う。わたしが通っていた小学校は、制服はなかったが（帽子と肩掛け鞄は指定の物があった）、1年を通して半ズボンがルールだったし、運動場での体育は裸足だった（サッカーの時は靴を履いた）。だから、給食の後の昼休みに、運動場の小石拾いを全校生徒でやらなければならない日がときどきあった。冬の寒い日の体育の授業では、裸足で運動場を走り回った後、水洗い場で足を洗うのがとても冷たくて、よくごまかした（少しだけ足を濡らし、ぞうきんで拭き取ってそのまま靴下をはいてしまう）。とはいうものの、やはり、子どもの時は寒さに強かったように思う。

「子どもは風の子」という言葉もある（「元気な子」と続くバージョンと「大人は火の子」と続くバージョンがあったように思う）から、大人が寒がりで子どもが寒さに強い、ということは一般的に認められている（単に子どもに気合を入れるための慣用句であった可能性もある）。

このことについて、いろいろと調べてみたが、どうも「年を取ると寒さに敏感になる」ということはなさそうだ。

寒さを感じるのは皮膚の冷点による。皮膚面積当たりの感覚受容器の数は、冷点を10とすると、温かさを感じる温点は1、痛みを感じる痛点は100くらいあるらしい（寒さは暑さよりも素早く感じるという研究もあった）。「お肌の曲がり角は25歳」という（子どものころにテレビのCMで言っていたように思う。化粧品のコマーシャルだったのかしらん）が、30歳くらいからお肌のコラーゲンは減少し、真皮は薄くなり、しわが刻まれる。あわせて感覚受容器の閾値は上がる、要するに感度が落ちる。だから、年を取ると、痛いも暑いも寒いも感じにくくなる。年寄りは骨が折れていても気が付かないし、発汗という生理的防御機能も低下するから熱中症にやられやすい。

その一方で、代謝は低下し、発熱量が小さくなるのに呼応して皮膚温度は下がるけれども、血管の収縮機能は衰えるので熱の発散は減らず、加えて脳の視床下部にあるという体温調節中枢の働きも鈍くなるので、身体の熱発生も増進されない。

寒さに敏感になるのではなくて、単に老化しているというのが事実のようである。わが身を顧みて悲しい。

ちなみに、熱伝導率は、筋肉：皮膚：脂肪は3：2：1だそうで、脂肪が多いと寒い中でも熱を奪われにくいことになる。筋肉質の人よりも脂肪太りの人の方が寒さに強い（一般に女性の方が寒さに強い！）から、年を取ると太ることは耐寒という点では福音とと

らえるべきなのかもしれない。

3．苦痛と快楽の由来。笑う、泣く、動物も？

　おいしい食事を十分に摂ると満たされて心地よい。暑くも寒くもない部屋にいて横になれればなおさらだ。

　慣れない日曜大工をして釘の代わりに自分の指を打てば痛くて目からは涙が溢れ、時として火花が飛ぶ。冬の稚内で「日本最北端の地」の碑の前に立てば、顔に当たる風は冷たさを通り越し、マクドナルドのペーパーカップをひっくり返せば、手にかかったコーヒーは熱さを通り越し、いずれも激痛が走る。

　こうしたことは、個人差はあれども、万人共通だ。ヒトは生きていく上で危険な状況になれば痛いと感じ、その反対に、生存に適した状態にあれば心地よい、快いと感じる。そう感じるように「できている」。

　生存していく上では、「痛い」と素早く感じることが不可欠だ。だから、皮膚の感覚受容器の数で痛点が冷点の10倍、温点の100倍あるのは不思議でない。体に悪いものを食べればおなかが痛いという危険信号が出るとともに、胃腸は下痢症状を呈して食べた物が早く排出されるように働く。脳に支障が生ずると頭痛がする。おなかが痛い時や頭が痛い時はじっとしていた方が良い。痛みを感じると活発に動くのは困難だ。痛みは「じっとしていろ」との合図でもあるだろう。もちろん「トンカチで打たれて腫れた指を冷やせ」と脳に動作の指令を出させる合図にもなるが。

　「苦痛」といい「快楽」という。哲学するときに言葉の迷路にはまり込むと物事の本質を見失うので避けたいところであるが、「痛い」と「苦しい」が繋がり、「快い」と「楽しい」が繋がっている。確かに痛いと苦しい感じがするし、快いと楽しい感じがする。しか

し、苦しみは仏教の教えにもある通り、自分の思い通りにならない時にも生じる。身体的痛みがない時にも悩み苦しむことがある。楽しみも、痛みを感じているときには得にくいが、肉体的に快いだけではなく、精神的な満足感に胸が満たされたり、将来に対する期待感に胸が膨らんだりするときにも得られる。(注1)

　したがって、「苦しい」とか「楽しい」ということは、痛い・快いよりは一つ先にある感じ方であり、かつ、そのような感じ方を呼び起こす状況は痛い・快いを引き起こす状況よりも広いと考えられる。しかし、依然として、「自分の思い通りにならない」状況だと「苦しい」と感じ、「満足感」や「期待感」がある状況では「楽しい」と感じる。そういう感じ方をするのは万人共通であり、ヒトはそのように「できている」。

　だが、もう一歩突っ込んで考えてみたい。肉体的に痛い・快いと感じる「仕組み」がヒトに共通であることについては説明してきたし、肉体的に「何を」あるいは「何に」痛い・快いと感じるかも（個人差、年齢差はあるにせよ）ヒトに共通だ。しかし、その先の感じ方である苦しい・楽しいについてはどうだろうか。苦しい・楽しいと感じる仕組みについては皆同じであるし、「どのような状況になったときに」苦しい・楽しいと感じるかも前の段落で説明したように万人共通だと思われる。しかし「何を」あるいは「何に」苦しい・楽しいと感じるかは、文化的・個人的に大きく違うのではないか。その人の生まれ育ちや経験に大きく左右されるのではないか。ここではこれ以上深入りしないが、そこに万人共通のものがあるのか、あるべきなのかということを後の章でしっかり考えていきたい。(注2)

　痛い・快いとか、苦しい・楽しいといった感じ方は、身体の動作や音声による表現に繋がっていることも多い。音声の場合、日本人

なら「痛いっ」というところをアメリカ人は「アウチッ」というので表現の中身は同じではない（似ている感じがしなくもない）が、痛い思いをすれば叫ぶのはヒトとして同じであり、痛い時に声を出すことが何かしら身体によい、生存に有利に働く、ということは十分にあり得る。

　苦痛に感じる時は涙が出たり、声をあげたりして泣く。快楽を感じる時には笑顔が出る。これもヒトに共通している。泣くという行為は苦しい辛い時、悲しい時といったネガティヴな状況だけの表現ではない。非常に嬉しい時にも涙が出るのは不思議にも思える。しかし、泣くという行為は激しい感情を放出することにより感情を落ち着かせる効果がある、と考えれば、悲しい場合もうれしい場合も泣くことによる効果が得られる点は同じということだろうか。生理学的には、副腎皮質ホルモンの働きでストレスが低下するとかいくつか説があるようだが、いずれ解明される日が来るだろう。

　泣く、というのは人間に限った行為だろうか。ウミガメが産卵時に砂浜に掘った穴にタマゴを次々と産み落としつつ、涙を流している映像を見たことがあるだろう。産卵を終えたウミガメはタマゴに砂を被せると一人（一匹？）海に帰っていく。感動的だ。しかし、ウミガメの目から流れ出ている液体は成分としては涙ではなく、また、特に産卵の時にだけ出るものでもないらしい。海の中を泳いでいる時も流れ続けているものだという。犬が涙を流すのは珍しくないが、これもどちらかというと目の炎症など病気のサインだという。[注3]

　笑うことの説明は、泣くことより更に難しそうだ。

　Liking ということについての研究では、甘いものを与えるとヒトの赤ん坊もネズミも口の周りの筋肉が緩んで口が少し開いた締まりのない感じになるという。ネズミもうれしいと笑っているというこ

とか。あるいは甘さが与える反射なのか。くすぐられると反射的に笑ってしまうが、くすぐりの研究によれば（なんでも研究する人たちがいるのは驚きだ）くすぐったいのは血管が皮膚の表面に近いところを走っている部位（脇の下、手の甲、首筋など）であり、これは外的刺激に弱い危険箇所である。だから例えばクモやハチがこうした場所に触れると、ヒトはゾクゾクっとした感じがして急いで払い除けることができる。ところが、他人にくすぐられた場合、危険な状況がないことが分かっているのに危険信号が出るのでヒトは混乱する。この混乱状態に対する反射が笑いとなっている、そうだ。だから、自分でくすぐってみてもくすぐったくない、ということらしい。(注4) どこまで本当なのかよくわからないが、少なくとも一定の条件下では、万人共通の笑いがあることは間違いない。

　また、新生児微笑というものもある。生まれて間もない、したがって精神的活動が未熟な赤ちゃんも笑う。文化や経験に基づくものではない生まれつきの反応である。これはそばの者の注意を引きつけるだけではなく、笑顔に接した周囲の者に好意的感情を引き起こす。自ら生きる術（すべ）を持たない赤ん坊にとってこれは大切なことだ。また、子孫を残していく上で親たちにとっても可愛らしい、大切に育てたいという感情を抱くのは大切なことだ。生存に有利だから笑うという側面がある、そのようにヒトは「できている」部分がある。

　笑いの生理的効果の面の研究によると、笑うと副交感神経の働きが優位になってストレスホルモンの分泌が抑えられる。また、白血球のうち細菌や癌（がん）を殺すナチュラルキラー細胞を活性化する、すなわち免疫力を高める効果がある、という。正に「笑う角には福が来る」。笑うことで「快い」と同じような身体状態を自ら作り出すことができるということだ。だから、人間は笑いを求める生き物だと言えるかもしれない。しかし何が笑いを引き起こすか（厳密には人

間は「何に」笑いの引き金となるおかしみを感じるか）は、やはり文化的、個人的に大きく違うように思われる。

　たとえば。若者がテレビで漫才を見て笑っているとする。でも、若者がげらげら笑っている「お笑い」を見て、同じように笑うことができない中高年は少なくないのではなかろうか。この漫才コンビの日本語が分からないから、ではもちろんない。年をとって感受性が衰えたから、でもないだろう。日本語を覚えた若い外国人が、日本の若者と同じように笑えるかどうかも疑問だ。漫才を見て笑うためには、そのやり取りが何を言っているのか、言葉として理解することはもちろん必要だが、それだけでは不十分だ。漫才の掛け合いの意味やその掛け合いの裏に隠された意味を理解するためには、その題材や話題が社会においてどのように受け入れられ、評価されているか、会話のアクセントやニュアンスから読み取れる別の意味は何か、その漫才コンビのおきまりのギャグは何か、というようなことについて話し手と聞き手に共通の認識がなければならない。中高年にこの認識が欠けていたり、あるいは、若者と違う認識を持っていたりすると、若者と同じように笑うことはできないだろう。「笑い」は時としてかなり知的発達を必要とする能力でもある。

　笑うことの説明はなかなか難しいが、こうしてみてくると、「笑い」は、他の動物と共通の笑い、万人に共通の笑い、人間社会の文化や個人の経験に関わる笑い、といくつかのレベルに分けることができそうである。

（注1）「精神的」という言葉を「肉体的」と対比する形で用いているが、ヒトがそのようなものとして「できている」と言うとき、決して肉体的な感じ方に限って述べているわけではない。精神のありようについてもヒトに共通のものがあるということを順次明らかにしていく。

（注2）ここでは「苦痛」、「快楽」という言葉から連想させて、「苦しい」、

「楽しい」について論じたが、「悲しい」とか「うれしい」という感じ方についても同じように説明できるのか、何か違いがあるのか考えてみてほしい。

（注３）仮に悲しい時に泣くのがヒトに特有だとしても、動物の中でヒトだけが精神的存在であるということにならない点は注意が必要だ。悲しいと感じる状況もいろいろだが、ヒトは何か大切なものを失った時に悲しいと感じるように「できている」。「何を」悲しいと感じるかは、様々であるが、喪失感を間違いなく惹起（じゃっき）する事柄として、親しい関係にある者の死をあげることができるだろう。そしてこのことは、親が母乳で保育するほ乳類の場合、特に子どもを一度にたくさん産まないほ乳類の場合には共通していると思う。生まれて１年半の子どもを失ったチンパンジーの母親が、動かなくなった子どもの身体を何度もさすり、それでも動き出さないと確認すると、離れたところから子どもを見つめ、諦（あきら）めきれないかのように戻ってきてを繰り返し、最後は子どもを抱いて去っていく映像を見たことがある。子どもの遺体を背負いながら泳ぐシャチの映像もあった。家族に限らず仲間を失ったゾウが悲しむという話はよくある。チンパンジーやシャチやゾウの本当の感じ方は我々人間にはわからないが、動物にも精神的営みはあって、それを表現することができると考えてよいと思う。イヌが人間との関係においてうれしいと感じていると思われる時にしっぽを振って表現していることは多くの人が認めるのではなかろうか。

（注４）まったくの蛇足だが、自分がくすぐってもくすぐったくないが、他人がくすぐられるのを見るとくすぐったく感じるということがある。これは最近の脳科学の研究ではミラー細胞の働きによるものらしい。他人の行動を自分のもののように感じるようにヒトは「できている」というもので、これを「共感」という。共感については改めて第３章で述べるが、この共感というヒトの特性によって、他人の言葉に反応して言葉を覚えるとか、観ている映画の主人公にピンチが訪れると自分も手に汗握るとか、テレビコマーシャルで美味しそうにビールを飲んでいる映像を見て自分もビールを飲みたくなるとかいうことが説明できるということだ。

4．私の見る青はあなたの見る青か。美しいってなんだ？

わたしが「青」と認識している色は、あなたにも同じく「青」く見えるのだろうか。

半世紀も前のことになるが、小学生向けの学習雑誌だったか何かの付録に「複眼レンズ」というものがあった。小さめのお盆くらいの大きさで、丸い下敷き状の透明プラスチックの板に、直径2センチ弱のレンズ状のふくらみが敷き詰められていた。向こう側の景色がそれぞれのふくらみを通じてふくらみの数だけ見えた。トンボの複眼を通じて見た世界はそんなふうに見えるのだ、ということだったと思う。イヌの目で見た世界はセピア色でカラフルではないという。トンボやイヌの目と神経と脳とで認識した世界がどのようなものか、どうやって知ることができるのかはわからない。イヌについては、その目の構造からしてプリズムとして光を分解できる度合いが小さいので人間の目ほど色を区別して世界を見ることはできなかろうということらしい。

ところでヒトの場合である。自分が流す血の色を見て、私は「赤」だといい、あなたも「赤」だという(注1)。晴れた日の空を見て、みんな「青い」という。しかし、わたしが青と認識している色をみんながわたしと同じように「青く」感じているとは限らない。わたしもあなたも虹を見て、光の波長の長い方から、赤橙黄緑青藍紫、と同じように言えるとしても、つまり、二人の人間に特定の色を見せてその色の名前を尋ねたときに二人の答えが同じだったとしても、二人がその色を同じように感じていることの証明にはならない。

思考実験をしよう。ここに特別の眼鏡がある。この眼鏡をかけた人は、その人がそれまで赤と感じていた色を、その人の認識では緑

に相当する色として感じるし、その人が緑と感じていた色を、その人の認識では赤に相当する色として感じる（要するに赤と緑が逆に映る）としよう。

　仮に太郎君の色の感じ方がわたしと同じだとする。眼鏡をかけた当初、太郎君は少しとまどう。信号機の色は、緑・黄・赤の順番ではなく、赤・黄・緑と左右逆に並んで見える。草原は真っ赤に燃えているし、夕焼けは緑っぽく見える。ここで、太郎君に、キュウリを見せて「これは何色か」と尋ねるとどうなるか。太郎君はきっと「緑」と答えるだろう。太郎君にはキュウリは赤く見えているが、太郎君は頭の中で「眼鏡のせいで赤く見えているはずだから、このキュウリの色は緑に違いない」と考えて「緑」と答えるのである。

　それでは太郎君は生まれてからずっとこの眼鏡をかけているとしたらどうなるだろうか。太郎君は同じキュウリを見て、やはり「緑」と答えるに違いない。太郎君にはキュウリは（わたしの感じ方に従えば）「赤く」見えているが、この色を太郎君は「緑」と呼ぶのだと教えられて育ったからである。

　したがって、冒頭の質問に戻ると、わたしが青と認識している色を他人がわたしと同じような色として感じているかは分からない、ということになりそうだ。

　しかし、あえて言おう。個人差はあるが、あなたとわたしは、この世界を、同じような形、色彩のものとして見ていると。

　この「色」の問題は、味覚の問題と共通する部分がある。ヒトとウシとハエはおいしいと感じるものは違う。ヒトの嗜好に個人差はあるがその差は他の動物との差に比べたら大したことはない。人が甘いと感じるものは、人により、年齢により程度の差はあっても甘いと感じる。色の感じ方も、程度の差はあるが皆ほぼ同じであるはずだ。そのようにヒトは「できている」から。(注2)

32

　色とりどりの花が咲き乱れるゴールデンウィークの札幌の景色を美しいと感じる。なぜだろう。多様な色彩が眼に映るから、ということはある。でも若い女性のモノトーンの写真が美しいこともももちろんある（もっとも、この場合の問題の本質は「なぜその女性に美を見るか」ということであろうが）。

　哲学の入門書？のような物を読むと「美」について多くの哲学者が論じてきたことが分かる。「真・善・美」と並べられることもあり、『広辞苑』（第六版）を引くと「認識上の真と、倫理上の善と、美学上の美。人間の理想として目指すべき普遍妥当な価値をいう」とある。『大辞林』（第三版）では「人間の理想である、真と善と美。それぞれ、学問・道徳・芸術の追求目標といえる、三つの大きな価値概念」とある。

「美」という文字は、日本語、または中国語であるが、「美しい」という日本語と「美」という中国語、「beauty」という英語が、同じことを意味しているのか、同じようなイメージでとらえてよい言葉なのかは自信がない。なぜそんなことを言うか、なぜそのことが問題となるか、といえば、「美しい」というのが、価値認識だからである。「何を」美しいと感じるかは、個人やその個人が所属する地域社会の文化に左右されるように思われる。しかし、全くバラバラでは、「芸術の追求目標」にもなりようがない。

　確かに美醜の感じ方は個人差が大きく、また、世間の評価に引きずられる部分がかなりを占めているように思われるが、だからと言って、万人共通に美しいと感じる状況がないということにはならない。苦しい・楽しいの場合に、生存に直接関わりがある痛いとか快いという状況がそれらの感じ方に結びつくように。

　一般的に言えば「美しい」ということが持っていると思われる価値は、「目で見たときによい気持ちを引き起こす」、「視覚的に快楽・快感を与える」ということだ。そう考えれば「おいしい」に通

じることがあることに気付く。「おいしい」というのは「味覚的に快い」ことである。「おいしい」で述べたことが「美しい」にも妥当するとすれば、個人差はあるが、ある人に美しいと感じさせる状況は、気持ちがよいという共通の感覚を別の人にも呼び起こすはずだ。ヒトはどのような時に「美しい」と感じるのか考えてみる。個人差が大きいとはいうものの、どちらかといえば均整がとれている、なめらかである、規則性がある、自然を模写しているというようなものに、ヒトは美しさを感じることが多い。そうしたものが人に視覚的快楽・快感を与える理由は、そうしたものが安定した生存環境と共通するイメージを与え、それが人の心に落ち着きと喜びを与えるからだと言える。逆に、真っ暗な状態、天と地が逆さまになった絵などには美しいという感じは生まれない（抽象画が精神活動に与える意義を否定しているわけではない）。つまり生存に有利な状況と結びつけられて印象されるから美しいと感じるのだ。

　孟子（前372頃－前289頃）は、今から2300年くらい前の中国の儒学者である。儒教は、君主たるもの、仁、義、礼、智、信というような「徳」を身につけて、国民を幸せにしなければならない、という思想だ。孟子の言行録である『孟子』には「人の口の味覚・嗜好は同じだから、天下一といわれる料理人の易牙（人の名前）の料理の味を天下の人はあげて好む。耳についても、またそうだ。人間の耳の嗜好が相似ているから、音楽に関しては、天下は師曠（音楽家の名前）に限ると期待するのだ。目についても、またそうだ。子都（美男子の名前）に関しては、天下はその美を知らない者はいない。子都の美を理解しない者は、見る目がないのだ。」という趣旨のことが書いてある（注3）。人にはみな同じように、口、耳、目という感覚器官があり、同じようなものを同じように快いと感じるということだ。

　とは言うものの、本当に「美しい」は「おいしい」と同じだろう

34

か。特に「何に」その感じを持つか、という点では、おいしさと比べれば、美しさについては、個人差、個人による嗜好の違いが大き過ぎないだろうか。では、この両者が違うと感じるのはなぜだろうか考えてみる。前に述べたように、おいしいものはヒトがそれを食べると栄養を摂取できるものである。栄養になるものをおいしいと感じることは生存に不可欠だ。それに対して、「美しい」と感じるあるものや状態は、これが生存に不可欠だ、とはなかなか言えないだろう（この芸術無くしては生きていけない、と感じる人がいることを否定しているのではない）。美しいものを見ることの効用（心の落ち着き・喜び）は、おいしいものを食べることの効用（栄養を得る）ほど、生存に直接的、根源的なものではないことから、おいしさに比べて美しさは個人による嗜好の違いが大きいのだと考えることができる。だから、「美しい」は「おいしい」よりも「楽しい」に近いのだろうと思う。おいしいものを食べると肉体的に快く、楽しい気持ちになるが、楽しいのは肉体的に快い場合だけではなく、精神的な満足感を得られた時にも楽しみが得られ、快くなる。「何を」楽しいと感じるかは個人差が大きい。

（注1）血の色が赤だから赤は危険のサインとして人間の感覚に刷り込まれている。もしも人間の血が青ければ青信号が止まれのサインだっただろう。

（注2）この項の説明が色覚特性に対する偏見につながらないようにしてほしい。男性の5〜10%に、赤と緑の感じ方に特性があるとされている。次章以下を読んでいただければ分かるが、この特性が現世代にまで男性染色体とともに遺伝的に伝わっていることは、①この特性が「ヒト」という種の保存にとって有利な場合がある、または、②この特性は種の保存、生存の優位性にかかわりがない、のいずれかである。

（注3）『孟子　下』岩波文庫、1977年、小林訳「告子章句上」。本文は意訳

してある。

次へのステップ

　人間には人間特有の、でも、人間共通の感じ方がある。同じような仕方で、おいしい、暑い・寒い、苦しい・楽しい、青い、美しいと感じるように「できている」。しかし、「何を」あるいは「何に」おいしい、痛い、暑いと感じるかということに比べて、「何を」楽しい、美しいと感じるかには個人差、個人を取り巻く文化や個人の経験による差が大きいと思われる。

「カロカガティア」という言葉がある。古代ギリシアでは、美（kalos）と善（agathos）とは原理的に同じものとされ、「美にして善なるもの」（kalokagathia）という合成語ができた。この言葉は、自然的、社会的、倫理的な「卓越性」を指す言葉となったという。

　それでは、美しいこと、と並んで、善いこと、正しいこと、についても人間は同じような仕方で感じるのだろうか。また、私たちに道徳的価値として共通の「追求目標」となる「善」はあるのか。これを考えることが本書の目標である。しかし、「何を」正しいと感じるかは、同じ文化の中にあってすら人によって異なり、しばしば政治的・社会的対立や争いを引き起こしているように思うがどうだろうか。

　この議論を進めていくためには、そもそもなぜヒトは同じように感じ、認識するように「できている」と言えるのかを考える必要がある。神がヒトをそのように作ったから、というのがひとつの答えである。神により与えられた不滅の魂が万人共通の感じ方、認識の仕方を保証しているし、さらに神は啓示を通じて我々にいかに生きるべきかということも指し示す。

　そして、この「不滅の魂」ということを考えるためには、人間

はどのようなものか、何から構成されているかを知る必要がある。そこで、少し遠回りにはなるが（急がば回れの精神で）、次章では「生きている」とはどういうことなのか、この100年ほどの間に急速に進んだ遺伝学、分子生物学などの成果にも触れながら考えてみたい。

余録　西洋哲学における認識論

　人間はどのようにしてものを知ることができるのか。それが真理か偽か知る方法は何か、というような議論を「認識論」という。

　フランスの哲学者にして数学者のデカルト（1596－1650）は、「まったく無前提の立場から出発して、新しい、積極的な、内容豊かな哲学原理を提示し、この原理から直ちに、一貫した論証の道を通って、その体系の根本的諸命題を導き出そうとした。かれは、その原理の無前提と新しさとによって近代哲学に道を開いた人であり、その原理が内的に示唆に富んでいることによって近代哲学に基礎をおいた人である。」（シュヴェーグラー『西洋哲学史　下巻』岩波文庫、1958年、谷川・松村訳「第24章」）。デカルトは、日常の道徳はもとより、自分の感覚が自分に与えるところのもの、さらには幾何学上の原理(注1)でさえ虚偽のものと退けたうえで、結局において疑うべからざるものが自分の確信のうちに残れば、そのことを基礎として、演繹的方法(注2)により世界を再構築できると考えた。そして、すべてを疑い、自分が何らの身体を持たないことも、自分がその中で存在する世界もないと仮想することはできるが、だからといって自分がまったく存在しないと仮想することはできず、自分が他のものの真理性を疑おうとするまさにそのことが自分の存在を確実にしている、と考えた。「私は考える、それ故に私は有る」(注3)(注4)

デカルトに始まる合理主義哲学（合理的なものの考え方、という意味ではなくて、ひとつの哲学の考え方を指し示しているので注意）は、理性を使って原理から順を追って考えることによって、認識、知識、真理に到達できると主張したが、これに経験主義哲学が異を唱えた。

　ロック（1632－1704）はイギリスで名誉革命（1688年）前後に活躍した社会契約論者である。ロックの「社会契約論」は、「君主の権力は神から与えられたもの」（で国民がどうこうできるものではない）という「王権神授説」を否定し、「権力の行使は国民の信託による」とする考え方だ。ロックは、三権分立、代議制民主主義を訴えた政治学者だが、同時に、ヨーロッパ大陸の合理主義に対抗するイギリスの経験主義を唱えた哲学者でもある。彼は、人間が生まれつきの観念を持つことを認めない。経験に先立って何かの概念が存在することはなく、人間は「白紙状態」として生まれてくるものと考えた。全ての知識や概念は人間が経験を通じて形成するものだということになる。観念は、目や耳といった感覚器官から得られる感覚（sensation）とそれを心の中で受け止めること（「反省」：reflection）というふたつの知覚から構成されていくと説明した。

　大陸合理主義とイギリス経験主義、このふたつの流れを統合したのが、フランス革命前夜の1781年に『純粋理性批判』を出版したカント（1724－1804）だと言われる（「純粋」というのは経験によらない、という意味。「批判」は通常の日本語と違って、限界を知るための分析というような意味）。

　カントの著作は、わざと物事を大仰に難解に表現しているとしか思えないくらいで、わたしも正しく読み解けてはいないが、わたしなりの理解では、人間の感性（直観）は対象を「空間」と「時間」という人間が生まれつき（生得であることを「アプリオリに」という）保有している形式でとらえる仕方をもっていて、また、人

間の悟性（思惟）は「原因があって結果を伴う」という因果性など
個別の知覚を関連付ける人間固有のとらえ方を生まれつき持ってお
り、この感性と悟性のとらえ方に従って人間は認識する、というの
である。まだ難しいか。

　ここにリンゴがある、としてそれを感覚するのは目である。人間
の感覚器官では、目の前の空間に丸く、赤く存在して見えている
（感性による把握）。かつて自分はリンゴと呼ばれるものを見た経験
がある。その経験においてリンゴという概念を自分に与えたものの
感覚と、今目の前に見えているものが自分に与えるものの感覚が類
似しているから、これもリンゴに違いない（悟性による把握）と判
断する。このようにして私たちは目の前のものがリンゴであると認
識するということだ(注5)。

　カントが経験主義の影響を受けながらも、それを十分とは見ず、
独自の体系を打ち立てることができたのは、数学、自然科学（物理
学）は経験に左右されない「必然性と厳密な普遍性を持つ」と考え
たからである。観察はいくら寄せ集めても必然的法則にはならな
い、経験はその判断に真の、即ち厳密な普遍性を与えるものではな
い。経験主義の哲学者ヒューム（1711－1776）は、毎日太陽は東
から昇るが、明日西から昇らないとは言い切れない、ことを認めた
が、そんな頼りない「世界」をカントは受け入れることはできな
かった。

　こうしたカントの認識論に対して、現代に生きる私たちは、どの
ように答えればよいだろうか。わたしなりの答えはこうだ。ヒトは
生まれつき共通の認識の方式を持っている。五官から得られる刺激
を脳において統合して１つの像を組み立てる認識の仕方を持ってい
る。対象を空間や時間、因果関係などの形を通じて、固有のパター
ンをもって認識するようにヒトは「アプリオリにできている」。こ
れを「理性」の働きと呼ぶならば、ヒトは生まれつき「理性」を

持っていることになる。しかし、このような意味での「理性」は、ヒトだけでなくイヌもサルも持っている。「理性」という言葉は「本能」と対立する意味で、人間だけが持っているものとして多くの場合使われてきたので、十分に注意して使う必要がある。(注6)

（注1）デカルトは数学者であり、数学的な合理性をもって哲学した。デカルトの数学上の実績を一つ上げるとするならば、代数学と幾何学を融合したことだろう。x軸とy軸からなる平面座標を作り、その上に二つの数の関係を表す方法はデカルトにより発明された（デカルト平面と代数幾何学）。

（注2）原則から順番に導き出して個別のケースの説明をする考え方。反対は個別のケースを分析、統合することにより原則や全体を推理する考え方で「帰納的方法」という。

（注3）『方法序説』岩波文庫、1967年、落合訳「第四部」。

（注4）それほど分厚いものでもなく各種の文庫本で容易に手に入るし、カントの文章と違って平易な表現を用いているから是非一読されることをお勧めする。
　　　　彼と同時期の人であるガリレオ＝ガリレイ（1564−1642）が異端審問（いたんしんもん）にかけられ「天動説」撤回表明の止むなきに至る（1633年）中、『方法序説』の出版（1637年）がリスクの大きいものであったことは彼の筆致（ひっち）に影響を与えただろう。慎重に出版を計画したようであるが、「すべてを疑うこと」に立脚した以上、無神論者だとの批判から逃れることはできなかった。

（注5）カントは『純粋理性批判』で「我々は物をあるがままに認識するのではない。」、「我々は、物自体を認識するのではなくて、空間と時間を通して現れた現象を認識するに過ぎない。」、「物自体は我々には知ることができない。」というようなことも述べている（物自体が現実にそこにはない、という意味ではない）。丸いとか赤いというのは、人間の感覚器官で見た場合の見え方だから、イヌやトンボの目を通してみた場合の見え方とは違うだろう。リンゴそのものを我々は知ることができず、空間を通じて視覚、嗅覚、触覚等を経た「リンゴ

現象」を認識するしかないということだ。

　さらに議論は展開して、「世界（宇宙）に果てはあるか、始まりが
あったか」、「永遠の魂はあるか、神は存在するか」というようなこ
とを我々は知ることができないと続く。ところがこうしたことにつ
いてカントが『実践理性批判』で述べたことは……。

　また後に触れることとしよう。

（注6）　カントが考え方の基礎においた数学、物理学の必然性、普遍性も、
　　　　非ユークリッド幾何学や量子力学の「発見」によって揺らいでし
　　　　まった。

第2章　生命の本質は何か、生きているとはどういうことか

馬と鹿の違い・イデア論と不滅の魂

「馬鹿」という言葉の語源を聞いたことがあるだろうか。今から2200年以上前、中国を統一した秦の始皇帝の後を継いだ2世皇帝胡亥は、始皇帝の長男を自決に追い込んで自分を皇帝位につけた宦官[注1]の趙高の傀儡（あやつり人形）であった。あるとき、趙高は帝位簒奪の見通しを立てようと、2世皇帝に「馬です」と言って鹿を献上した。皇帝は「違うぞ。鹿を馬と言ってるぞ」とお側付きの者達に言うと、ある者は口をつぐみ、ある者は趙高におもねって馬と言い、ある者は鹿と言った。鹿と答えたものは法に引っ掛けて断罪され、以後群臣は趙高にひれ伏したという。この話はその約120年後に漢の歴史家、司馬遷が書いた『史記』に載っている（史記秦始皇本紀。史記列伝第27李斯列伝では、お側付きの者達は口をそろえて「馬でございます」と答えたので、皇帝は自分の頭がおかしくなったかと心配したとされている）。

　しかし、これが「ばか」の語源で、馬と鹿の区別のつかない者を「馬鹿」と言うというのは、後世の俗説らしい[注2]。

　ところで、この史記の逸話にしても、その逸話を「ばか」の語源とする俗説にしても、馬と鹿は似ているが間違える者はいない（間違えるのは愚か者である）という前提がないと成立しない。しかし考えてみれば、馬にもいろんな馬がいる。白いの、茶色いの、黒いの。細いの、太いの。日本古来の馬、サラブレッド、ポニーと色々いる。ポニーとサラブレッド」では大きさ、形、毛並みを見てもこれを同じ「馬」と呼んでいいのか疑問に思うほどであるが、それで

もあえて、「馬か鹿か」と聞かれれば、馬と鹿を見たことがある人なら誰でも「どちらも馬だ」と答えるだろう。もっとも、雄のロバと雌の馬との間では合いの子のラバが生まれるくらいだから、ロバと馬との区別はやや難しいかも知れない。

色々な大きさ、色々な毛並みの馬がいる。全く同じ姿かたちのものは2頭といない。けれども、それが「馬」だと分かるのはなぜだろうか。それぞれに少しずつ違っていても、鹿と比べれば似ているということだが、どこかで決定的に鹿と違うから見分けがつくのだろうか。

今から約2400年前、ギリシアの哲学者プラトン（前429頃－前347）は、「人の魂は、人になるためにこの世にやって来る前には、永遠不変の理想世界に住んでいて、そこにはすべてのものの完璧な姿、原型がある。人の魂は、その理想世界で馬の原型をも見ていた。魂は肉体と結合した（＝生まれた）時にそのことを忘れてしまうが、感覚でその原型に似たものに会うと、かすかな記憶が思い出されて、真理を認識する（目の前の動物が馬だと分かる）のだ」という意味のことを述べた[注3]。この原型を「イデア」＝本当の意味で実在するもの、と呼んだので、この考え方を「イデア論」という。英語で「理想」、「典型」を意味する ideal（アイディアル）と根っこは同じ言葉だ。

プラトンの考えでは[注4]、この世に現実に存在する馬はこのイデアとしての馬から創造された結果だということになる。だから、それぞれの馬は不完全で不均一ではあるが、イデア（原型）の馬と似ているのを想起するから、私たちは鹿と区別できるのだ。プラトンは、客観的な真理は存在すること、変転流転する現象の背後にはある普遍的なものが存在することを主張した。また、善のイデア、美のイデアというものがあると主張した。それらを人間は知ることができるし、知ることは行うことにつながる。たとえば、正義のイデ

アというものがあり、これを知ることができ、これ知ることは正義を行うことに直結する。

　ところが、イデア論では、動植物の成長過程、というようなものを説明することが難しい。永遠不変の理想世界のイデアは不変なのに、その反映である被造物はなぜ変化するのか。不変である「種(たね)」のイデアを反映した現実の種が、茎を出し、葉をつけ、花を咲かせるのはどうしたことか。「種」のイデア、「葉の出たイデア」、「花を付けたイデア」があるということか。それぞれのイデア自体が完璧、永遠不変でなかったのか……。

　椅子が椅子であるのは、人が座るという機能を果たすために適切な形状をしているかどうか、ということが判断基準である。脚の数や形、背もたれの有無、材質など様々であり、とても共通のイデアは思いつかない。しかしこれらをすべて椅子と認識できるのは、以前に同じような形をしたものに人が座っているのを見たり、以前椅子と紹介されたものと同じような形をしていたり、近くに机が置いてあって位置的に腰掛けるものだろうと予測できるからだろう。いままで「見慣れて」いない奇抜な形だったら、それが座ることを目的に作られ、事実それに座ることができるものであっても、椅子と認識するのは困難だろう。結局は、この「見慣れて」いるという観察の経験をベースに、私たちは「馬」の範囲を確定している。あそこで見た馬、あのとき見た馬、本で見た写真の馬などをそれぞれ「馬」と呼ぶことを教えられ、「馬」の共通イメージを作り上げているのだ。

　他方、それらを同じ「馬」だと確信して教えることができるのは、見た目は違っても、生物として同じ「種(しゅ)」だから、である。

　では、生物として同じ種であるとはどういうことか。そもそも「生物」というが「物」が「生きている」とはどういうことなのか。

（注1）宦官というのは元々は去勢の刑罰を受けた罪人を、君主や後宮（君主の妻子や愛人の住むところ）の役人として使ったもの。後宮の女性に手を出さないので重宝がられたが、後に権力者の側用人として実力を持つに至る。

（注2）漢字の読みには中国の発音に由来する音読みと、その漢字の意味する日本の言葉に由来する訓読みとがある。「馬鹿」は音読み－訓読みの重箱読みになっている（「重」を「ジュウ」と読むのが音読みで、「箱」を「はこ」と読むのが訓読みだから、「音読み－訓読み」の順に読む熟語の読み方を「ジュウばこ読み」という。「訓読み－音読み」の順に読む熟語は「湯桶読み〈ゆトウ読み〉」という）。「鹿」の音読みは「ロク」で「か」と読むのは「しか」の「か」なので訓読みだ。史記が語源ならば「バロク」と読まないといけないだろう。「ばか」を「馬鹿」と書くのは当て字だと思われる。

（注3）『パイドン』岩波文庫、1998年、岩田訳「三（二）」。

（注4）一般にイデア論はプラトンが唱えたとされているが、プラトン研究者のバーネットはこれをソクラテスのものでプラトンのものではないとしている（『プラトン哲学』岩波文庫、1952年、出・宮崎訳）。

1．生と死のはざま。今日の私は昨日の私か？

　僕らはみんな生きている、と歌うけれども、生きているかどうかはどうやったら分かるのだろうか。

　2009年7月、国会で、臓器移植法の改正が成立した。臓器移植とは、肝臓とか腎臓とか心臓とかの内臓の病気が治せないときに、その臓器を取り除いて、代わりに他人の臓器を移植する治療法だ。腎臓のように2つあればそのうちひとつを自分の身内の病人にあげることはできるし、生体肝移植のように肝臓の一部を切り取って他人に移植することもあるけれども、生きている人の臓器を取り出すのは取り出された人の命にかかわる問題だ。そこで、死体から臓器を摘出して移植することになるが、移植するには「新鮮な」臓器で

あることが必要だ。そこで、もう回復する見込みのない、ほとんど死んでいる「脳死」状態の身体から臓器を摘出して移植する方法が考え出された。臓器移植法というのは、脳死と診断された人の身体を「死体」として扱うこととし、その「死体」から取り出した目の角膜や臓器を移植することを認める法律だ。従来は、生前に臓器移植に同意した15歳以上の人が脳死になった場合には、その人からの臓器移植を認めるという内容だった。このときの改正で、①15歳未満の者からの臓器移植を認める、②本人の生前の同意が無くても脳死と判定された者の遺族が同意すれば移植を認める、ことになった。当時マスコミはこの改正を「脳死を人の死と認めた」ように報じたが正確ではない。全く同じ「脳死状態」にあったとしても、移植のための脳死判定を受けた場合だけが「死体」として扱われることになる。

　法律では脳死を定義して、「脳幹を含む全脳の機能が不可逆的に停止するに至ったと判定」されること、と書いてある。脳が元通りに活動する見込み、回復する見込みがない、ということだ。

　昔から、人間の死は心停止によって判断されてきた。心臓が止まった時が死んだ時ということだ。心臓が止まれば死ぬのは当たり前のことだったので、昔の人は特に「どうなると死んだことになるか」と考える必要はなかった（死んだらどうなるか、はよく考えた）。現代社会では、死亡したかどうかの診断は、もう少し緻密に行われている。具体的には、①呼吸していない、②脈拍がない、③瞳孔の反応がない、の３つの機能停止で判断されている。通常は、まず肺機能が停止し、次に心機能が停止し、最後に脳機能が停止するという順番を経て人は完全に死ぬ。死亡診断の３機能の確認もこれに対応している、と言えるだろう。

　ところが、人工呼吸器が導入されて、この順番が狂う事態が起きた。交通事故などで脳が重大な損傷を受けて身体が死に向かってい

るとしよう。通常は、呼吸が停止し、心臓が停止し、となるところであるが、人工呼吸器をつけているから呼吸は継続し、心臓も動き続け、しかしながら、脳機能が先に停止する、ということが起きるようになったのだ。脳死状態である。人工呼吸器を外せば、呼吸停止、心停止に至るし、人工呼吸器をつけていても数日以内に死亡することが多いというが、長く脳死状態が続くこともある。その間は、体は温かいし、髪の毛や爪も伸びるし、排泄もある。脳死状態の女性が出産した例もあるのだ。こうなると「どうせ人工呼吸器を外せば死ぬんだから、脳死＝人の死でいいじゃないか」というのは単純すぎることになる。わたしも、胆石で胆嚢摘出手術を受けたが、全身麻酔を受けると自分では呼吸ができないそうで、人工呼吸器をつけて手術を受けた（はずだ。見ていないけれど）。手術中に人工呼吸器を外されたら死んでいたに違いない。

　臓器移植のことを考えていくと、「私とは何か」という別の問題が浮かび上がる。臓器を提供した人の遺族が「お父さんの腎臓が移植された人の中で生き続けると思うと慰められる」というようなことを言っている映像を見た記憶があるが、やはり生きているのは移植を受けた人であって、お父さんではないとみんな思っている。逆の立場で言うと、みんな、他人の角膜や腎臓の移植を受けても「私は私」であると考える。これが、生存に不可欠・唯一の心臓でも同じで、「自分は90％くらい生きている。あとの10％（心臓の分）は私ではない」とは考えない。

　古来、心停止が人の死とされてきた。最も大切な価値とされている「愛」のシンボル「ハートマーク」は心臓を表している。心臓という言葉も人の「心」がそこにある、心臓が人の精神の中核だと考えられていた証拠だ。人にとって一番大切なところが心臓ならば、心臓移植を受けたら私は私でなくなってもよいはずだ。心臓が一番大切なところであれば、他人の脳を移植されても「私は私」であっ

てもよいはずだ。脳を移植された場合も心臓を移植された場合も外見は変わらない。しかし、みんな、心臓を移植されても「私は私」のままだけど、脳を移植されたら「私は私」でなくなる、脳を取り出されたら「私は死ぬ」と考えている。それは、脳が私にとって決定的に重要と考えている証左だ。なぜだろう。

　お風呂に入って、身体を洗うと垢が出る。身体を洗うのに使ったタオルでも垢擦りでもいいが、身体を洗った後ですすぐと洗面器に浮かぶモロモロとしたあれだ。子どものころは、身体を不潔にしているから皮膚の汚れが垢になって出てくるのだと思っていたがそうではない。清潔にしていても垢は出る（汚くしていると垢が黒っぽいということはある）。人間の身体の表面を覆っている皮膚は身体の表面で徐々にひからびて死んでいき、皮膚の内側で作られた新しい皮膚に置き換えられる。ひからびて死んだ皮膚の細胞の固まりである角質が身体を洗ったときに身体からはがれると垢と呼ばれることになる。だから垢は死んだ皮膚細胞だ。

　人間の身体が細胞でできていることは知っているだろう。約60兆個とかいう（約37兆個ともいう）。

　毎日お風呂ではがれている以上の数の皮膚細胞が日々死んでいる。身体のいろんな部分の細胞も古くなると死んでいく。新しい細胞が死んだ細胞に置き換わる。私たちの身体は、細胞レベルで見ると、毎日新しく生まれ、新しく死んでいる。だから昨日の私を形作っていた身体は今日の私の身体とまったく同じではない。でも、わたしもあなたも「今日の私と昨日の私は同じ私だ」と思っている。なぜだろう。まずは外見がほとんど変わらないからだ。つぎに、意識が継続しているからだ。

　外見について言えば、一刻一刻、古い細胞が新しい細胞と入れ替わるというが、何時間鏡を見つめていても自分の姿形はほとんど変

わらない。自分の皮膚細胞の入れ替わりといっても全体から見れば大した量ではないので「今年の私と去年の私は同じ私」ということなのだろうか。そんなことはない。皮膚細胞は1カ月ですべて古い細胞と入れ替わるという。血液は、3〜4カ月ですべて入れ替わる。安心して献血したらいい。肝臓や腎臓のような臓器も1年でほぼすべての細胞が入れ替わり、人間の身体は3〜7年もあればすべて入れ替わっているというのだ。骨のように細胞でできているわけではないもの、脳細胞のように細胞としては入れ替わりがほとんどないといわれるものもその細胞自体の構成物、分子レベルで見ればすべて入れ替わっているという（このあたりは、主張する人によってかなり言っていることが違うので、どれくらい確からしいかはわからない。しかし、身体の多くの部分が、また、細胞が入れ替わることは確からしい）。

　前の章で、人間の体温が36度近辺に保たれている理由と仕組みの話をした。ここでの話に当てはめると、人間は、外の気温の高い低いにかかわらず、細胞や分子を入れ替えること、すなわち代謝をきちんと行うために適切な温度に自動的に体温を調整しているということになる。身体の内外の環境、状態の変化に対して、生体を一定の状態に保とうとする働きを「恒常性」（ホメオスタシス）という。実は、このような状態にあることが、生物が生物であること、生きていることの証しである（石や金属の無機物は、一定の状態にあるだけであり一定の状態に保とうとする働きがあるわけではない）。「生きている」というのは、発現、損耗、再構築を繰り返しながら、個体が崩壊しないようにする働きである。身体のほとんどの部分が入れ替わっても「生きている」と言えるのは、この恒常性を有する存在が継続しているからに他ならない。心臓を人工心臓と取り替えても、その他の身体の部分が人工心臓と一体となって恒常性を保ちつつ再生していくから「生き続けている」ことになる。脳

死状態もこの意味では同じく恒常性は保たれているから「生きている」と考えられる。

　では、他人の脳を移植されるということが仮にあったとしたら、恒常性が保たれているのは私の身体だろうか、別人の脳だろうか。この問題は、結局、さきほどと同じく「私とは何か」の問いに行きつく。

　この問いに対するわたしの答えはこうだ。
　食べた物の場合は、内臓で消化、分解され、エネルギーを取り出され、あるいはアミノ酸に分解されてタンパク質の材料となるが、移植された心臓は違う。心臓を移植されて死を免れたとき、恒常性の観点からは、元の身体と移植された心臓とが一つの個体となって存在を継続している。だから何パーセント分であるかは別として、心臓の持ち主は移植を受けた人の中で生きている。
　しかしながら。
「私は考える、それ故に私は有る」
　今この文章を書いているわたし、読んでいるあなた、「私とは何か」を考えている私たち。この考えている主体、主役は私たちの体の中の脳である。自ら考え、他人と意思疎通する側面で見た時には、私とは考える脳であり、そのことを前提として、生きているのは誰かを考えるしかないし、人間社会のありようを考えていく上ではそれで良いだろうと思う。この意味においては他人の脳を移植された私の身体は「私」ではない。脳死状態となった時点で「私は死んでいる」。「私は死んでいる」として（まだ生きているのに）移植される腎臓も心臓もこのことに異議申し立てする方法を持っていない。
　ただし、ヒトという生命は体全体が１セットでこれまでの生物史を生きてきたので、脳だけが生きていて体は全部ロボットである状

態は「人間として」生きているとは言えないだろう。たとえ脳が「私は生き続けている」と「考える」としても。また、自分の脳は恒常性を保つべく働いている身体機能をコントロールしてはいないことにも注意が必要だ。心臓の動き、内臓の働きは意のままにならないし、ウイルスとの闘いや食べ物から栄養素を取り出して身体を再構築する仕組みを自分の意思で司（つかさど）ることはできない。頭でっかちにならないように自戒しよう。

　私たちが「今日の私と昨日の私は同じ私だ」と思っている二つ目の理由は、自分の意識の継続ということであったが、このことについては「人格の同一性」ということで別の機会に考えてみたい。

２．DNAの発見。生命は暗号か？

　19世紀半ば過ぎ、イギリスの博物学者ダーウィン（1809－1882）が『種の起源』（進化論）を発表した（1859年）ころ、オーストリア（現在はチェコ）の修道院長にして植物学者のメンデル（1822－1884）はエンドウ豆を幾世代も観察し、親の世代の性質・形状（形質）が、子の世代、孫の世代に伝わるパターンに気がついた。彼は極めて注意深く条件を設定して実験を行い、遺伝法則を明らかにした（1865年）。そしてこの形質を決める何らかの単位、粒子があることを示唆した。

　一例を挙げる。白い花のエンドウと赤い花のエンドウ（赤い花ばかり発生するエンドウの一群から選ぶ必要がある）を親世代として受粉させて掛け合わせると、その種から生長するエンドウ＝子の世代はみんな赤い花になる。「子の世代」である赤い花のエンドウ同士を掛け合わせると初めの世代から見て「孫の世代」のエンドウは、赤い花のもの：白い花のものが3：1の割合になる（メンデル

はエンドウの背丈や種皮の色、子葉の色などで8年間にわたって実験した。メンデルが実際に比較実験した7形質に花の色は含まれていないが、ここでは分かりやすく花の色で説明した)。

　メンデルの大発見はしばらく埋もれていたが、メンデルの死後16年経った1900年に、3人の研究家によりほぼ同時に再発見された。その後、細胞内で2本が1対をなしている複数の染色体が遺伝情報である遺伝子の担い手であることが明らかにされた。細胞は分裂するときに1対2本の染色体が2倍の1組4本に増えてから二つに分かれ、分裂するそれぞれの細胞に収まっていく（複数の対染色体においてこれが同時に起きる）。親から子に対しては（後ほど説明する有性生殖では）1対の染色体が分かれて染色体本数が半分である生殖細胞に分裂し（染色体の対が分かれて染色体の数が半分になるので「減数分裂」という）、別の母細胞に由来する生殖細胞が2つ結合することにより子にそれぞれの遺伝子が伝わることが分かってきた。

　先ほどのエンドウの例で説明すると（不正確な点はお許しいただきたいが）、白い花はw（whiteの頭文字）という遺伝子を含む1対2本の染色体w-wを、赤い花はR（Redの頭文字）という遺伝子を含む1対2本の染色体R-Rを、同じ番号の染色体に持っている（実際に番号を振っているわけではないので、「相い対応する、同じような大きさ、形の」染色体と理解してもらえばよい）。「子の世代」では白い花の親からw遺伝子を持った1対2本の染色体のうちの1本を、赤い花の親からR遺伝子を持った1対2本の染色体のうちの1本をそれぞれ受け継いで、この2本を合わせた新たな1対2本の染色体を保有する（この同じ番号の染色体のこの部分の遺伝子はR-wとなる）。父親と母親それぞれの遺伝子をひとつずつ子どもは受け継いでいる、というわけだ。そしてR遺伝子は形質の出現においてw遺伝子よりも優性であるので、R-wの組み合わせ

の時、花は赤色になる（注1）。R が大文字なのは優性であることを示している。ここで、子の世代（遺伝子はみな R-w）同士を掛け合わせると、(R-w)×(R-w) の次世代（孫の世代）は、片方の親（前の括弧）から R か w のどちらかを、もう一つの親（後ろの括弧）からも R か w のどちらかを受け継ぐので、「孫の世代」の遺伝子の組み合わせは、R-R、R-w、w-R、w-w の4通りで、そうなる割合は1：1：1：1だ（どれも同じ確率）ということは分かるだろう。R-R と R-w（w-R）の時の形質は赤い花、w-w の時の形質は白い花。ゆえに「孫の世代」のエンドウは、赤い花のもの：白い花のものの割合が3：1になる。

　さて、20世紀前半に活躍したシュレーディンガー（1887－1961）という偉大な物理学者がいた。彼は、アインシュタイン（1879－1955）の相対性理論と並んで、物理学を革新・転換せしめた量子力学の基礎となる方程式を提案し、1933年にノーベル物理学賞を受賞した人物だ。彼は物理学の大家であるだけでなく、分子生物学の魁（さきがけ）となり、精神科学にも足を踏み入れるなど幅広い世界を逍遙（しょうよう）・探求した。彼の著した『生命とは何か』（1944年）はこのうち分子生物学の分野を切り拓（ひら）くことにつながった講演録だ。以下この本に書いてあることを紹介しつつ、分子生物学誕生前夜の状況を説明してみよう（注2）。

　「熱力学第2法則」というものがある。第2法則、というからには第1法則もある。第1法則は「エネルギー保存の法則」という。第3法則もあるが省略する。

　「熱力学第2法則」は「エントロピー増大の法則」といわれることもある。「熱は温度の高い方から低い方へと流れ、その逆はない」、「一部に高い温度があるとその熱は広がり伝わって、最終的に全体の温度は同じになる（平均化する）。その逆はない」。このことは

また、物質粒子についても当てはまる。「部屋に何かの気体を放出すると、最終的には部屋全体に均質に広がる。その逆はない」。これらを別の言い方をすれば、時間の経過とともに、物質もその運動（エネルギー）も、空間内で均一な状態（平衡状態）に変化していく、ということだ。エントロピーというのは、乱雑さ、無秩序さと訳されたりするが、先ほどの説明からいえば、物質や熱の拡散の度合い、とでもいうことができるだろうか。エントロピー増大の法則とは、このエントロピーは閉じた「系」（「系」というのはひとつの「世界」ということ。たとえば先の例では気体が広がっていく「部屋」は一つの閉じた「系」である）の中では常に増大し、逆には進まないということ（元来、エントロピーは割り算で求められる数値を指す厳密な概念なのだけれども、説明は省略する）。

この熱力学におけるエントロピー増大の法則を、シュレーディンガーは生物に当てはめて考えた。

エントロピー増大の法則からすれば、生物は、この世界・空間（「系」）において、秩序ある姿形から徐々に崩壊して平衡の状態（粉々で構成要素が均一に混じり合った状態）に向かうはずだ。確かに、死体はだんだんと腐って最後は水分も無くなってバラバラ、粉々の状態になるだろう。しかし生きている生物はそのように崩壊しない。細胞が次々と死んでいっても新しいものと置き換わって全体が維持されることについて「恒常性」という考え方で前に説明したとおりだ。ではなぜ生物はバラバラにならないのか。シュレーディンガーの考えはこうだ。生物は、食べたものを吸収する（植物の場合は同化作用をする）ことによって崩壊を免れている。エントロピー最大という危険な状態（＝死）にならないために、生物は周囲の環境から負のエントロピー（＝食料としている秩序の高いもの）を摂取し、代謝により体内のエントロピーを外に棄てることで、定常的なかなり低いエントロピーの水準（＝かなり高い水準の

秩序状態）を、保っているのだ。そして、「非周期性個体」と呼ぶべき染色体分子に「秩序を吸い込む」という天分（てんぶん）の鍵（けん）がある、と見当（とう）をつけた。

この「非周期性個体」についてはもう少し説明が必要だろう。『生命とは何か』の中で、シュレーディンガーは、遺伝の仕組み、染色体、突然変異について順次説明していく。

まず、細胞の中にあって、遺伝の暗号文となっている染色体繊維の構造が生物の成長発育を定め、引き起こしていることを説明する。つぎに、染色体の中で遺伝的特徴を運ぶ担い手となる「遺伝子」の大きさがあまり大きくない（液体または固体の原子間の距離の100〜150倍）ことを述べる。ここまでは、当時既に知られていたことの説明だ。そこからシュレーディンガーは問題提起する。遺伝子の大きさからすると遺伝子を構成する原子の数はかなり小さいことになるが、統計物理学の世界からみると、このような少ない原子数では、秩序正しい規則的な行動（遺伝）を必然的に引き出すのは難しいと。そして、このような少数の原子でできていて、なおかつ安定した物質として知られているのは「分子」であり、遺伝子は「非周期性の固体または結晶」だと推論した。シュレーディンガーはこのような仮説を立てた(注3)。

シュレーディンガーが取り上げたように、生物は、無秩序状態（全体が均質化したエントロピー最大の平衡状態）に向かう宇宙の中で、部分的、局所的にではあるけれども秩序ある姿形（すがたかたち）を作り上げ、維持するという奇跡を行っている。このように、自然の流れに逆らう営みが、生命という形で自然の中に存することは、心にとどめておいてよいことだ。

現在では遺伝子の正体は、DNA＝デオキシリボ核酸と呼ばれる分子であることが分かっている。

『生命とは何か』の出版から 9 年後の1953年、ワトソンとクリックは、DNA の二重らせん構造を発見した。生物学に革命をもたらしたと評価されたワトソンとクリック（1962年ノーベル生理学・医学賞を受賞）だが、彼らが分子生物学に足を踏み入れるのに、シュレーディンガーの書いた『生命とは何か』が影響したということだから、シュレーディンガーの功績はもっと知られてよいだろう[注4]。

　生物の種類によって染色体の形や数は原則として同じであり、ヒトの場合23対46本の染色体を持っている。どの人の染色体も同じ対番号のものは同じような形をしているし、特定の対番号の染色体の特定の場所・位置にある遺伝子は、どの人の染色体を見てもこの位置に対応する同じ形質の遺伝情報を伝えている（例えば「耳の形」という形質。ただしその遺伝情報の中身は人により異なっているので耳の形は一人ひとり少しずつだが皆違う）。ちなみにゴリラの染色体は44本、チンパンジーの染色体は48本である。多いからよいというものではない。

　染色体を構成している遺伝子（DNA）は、細胞を作り、生命を生み、これを機能させるための暗号が記録された「生命の設計図」だ。では、「生命の本質は DNA」なのか。そうだとも言えるし、それだけではないとも言える。引き続き考えていこう。

（注1）ヒトの血液型で、A 型や B 型の遺伝子は O 型よりも優性なので（だから A 型の人の遺伝子には A-A と A-o の組み合わせがあり、B 型の人の遺伝子には B-B と B-o の組み合わせがある。AB 型の人の遺伝子は A-B の組み合わせ、O 型の人の遺伝子は o-o の組み合わせしかない）、AB 型（A-B）と O 型（o-o）の両親からは A 型（A-o）か B 型（B-o）の子どもしか生まれないのも同じだ。

（注2）『生命とは何か　物理的にみた生細胞』岩波文庫、2008年、岡・鎮目訳。

（注3）その後、この仮説は、個別の説明について正しくはないことが明らかになったけれども、シュレーディンガーの偉大さがそれにより陰ることはなかった。シュレーディンガーが試みたこと、それは『生命とは何か』のまえがきにも書かれているが、この当時（第二次世界大戦が終わりに向かう頃）、学問（科学）の進歩によって、人類はようやくすべてのものを包括する統一的な知識、総合的な姿を捉えることのできる素材を獲得し始めたのに、実際の学問分野は細分化し、1人の人間の頭脳で専門領域以上のものを十分に支配することはほとんど不可能に近くなってしまっていた。そのような時代状況にあって、シュレーディンガーは、誰かが手をつけなくてはいけない仕事、すなわち諸々の事実や理論を総合する仕事にあえて挑戦し、「生きている生物体の空間的境界の内部で起こる時間・空間的事象は、物理学と化学によってどのように説明されるか？」を解き明かそうとしたのである。

（注4）この2人の「発見」は、ロザリンド・フランクリンという女性の辛抱強い観測データの結果（X線解析写真）を彼女の同僚のウィルキンスが彼女に内緒でこの2人に見せたことによってなされたということだ。フランクリンが（度重なる実験によって大量のX線を被爆した結果と思われるが）37歳の若さで卵巣癌で亡くなった4年後、ウィルキンスはこの2人とともにDNA発見の功績でノーベル賞を受賞した。わたしはこのことを福岡伸一さんの著書『生物と無生物のあいだ』（講談社現代新書、2007年）で知った。

3．発生と恒常性。その先にあるものは何か？

ヒトの身体を形作る細胞が60兆個、あるいは37兆個あるとして、この何十兆個は、もともと一つの受精卵[注1]が、分裂を繰り返してできたものだ。大変な数だと思うけれども、1個の受精卵から分裂した細胞がどれも同じ回数だけ分裂するとして、2倍、2倍と

増えていく計算をすれば、40回分裂を繰り返せば1兆個は超える（2を40回掛けてみると分かる。もちろんそれくらいの回数で赤ん坊ができると言っているわけではない）。細胞は分裂するときに染色体の遺伝子を複製して数を倍にしてから、2つに細胞分裂する。だから、この何十兆個の細胞は、すべて同じ遺伝子を持っている。

　学校の生物の授業で細胞分裂について学ぶと、遺伝子がみずからを複製して細胞分裂することの不思議を知り、これこそが生命の秘密だ、と確信する。自分で何を発見したわけでも考えついたわけでもないけれど、先生も、確信を持って、生徒が確信するように教えるので確信するのだ。そのこと自体は間違いではない。ただ、これでは「生命とは何か」への回答にはならない。「自らを複製して、数を増す能力を持つこと」と言い換えると少しもっともらしく聞こえるが、何となく「細胞」の説明をしているみたいだ。

　確かに、DNAを複製して自己複製を作り出すというのは、生物であることの一つの条件にはなるし、生命の本質をなすものではある。しかし、これだけでは「生命とは何か」という問いに対する答えとしては不十分だ。受精卵からの発生の驚異は、単に分裂して同じものが2つできるのとは次元が違う。その驚異とは、一つの細胞から分裂していくのにもかかわらず「分化」が起こることだ。あるものは神経細胞に、あるものは心筋細胞に、あるものは皮膚細胞になる。頭になる位置にある細胞は頭になり、腹になるべき部分は腹に分かれ、その中で消化管が構成され、また、腹の部分から手や足が分かれ出てくる、ということだ。すべての細胞は同じ遺伝子を持っているのに、である。単なる「自己複製」ではない「自己組織化」が特徴だ。しかも、これは誕生後も、歯が生え替わるとか、ひげが生える、胸がふくらむなど、年月を追って、成長の順を追って、発現していくのだ。

　さらに、前に「人間の身体は3～7年もあればすべて入れ替わっ

ている」と述べたが、成長した後は、姿形も機能もほとんど変わらないように、新しい細胞が古い細胞、死んでいく細胞に置き換わっていく。死なない細胞もそれを構成する分子が入れ替わっていく。前には「恒常性」（ホメオスタシス）という言葉で説明した。

このように、生命とは（地球外生命体のことは知らないが）、「個体としてDNAの自己複製機能に基づく自己組織化（発生）と自己再構築機能（恒常性）を有する統合体組織」である。

しかし、これでもまだ生命を言い尽くしたことにはならない。

先ほど唐突に「受精卵」という言葉で話を始めたが、一体どこから受精卵はやってきたのか。受精＝有性生殖にこそ生命の神秘がある。それを理解するためには、少し技術的になるが細胞分裂について更に説明がいるだろう。

キーワードは多様性。

学校で教わったかも知れないが、簡単に復習しておこう。生殖と関係のない細胞分裂である「体細胞分裂」では、細胞の核の中のDNAは、その二重らせん構造を解きほぐしつつ複製を行い、染色体の本数が2倍となる。2倍となった染色体は細胞の中央面（赤道）で、たらこが2本並んでひっついたような状態から縦に2つに裂け（別々のたらこに分かれ）、細胞の中で両端（両極）の方へと異動する。その後、中央面あたりで細胞がくびれるように2つに分かれることで、母細胞と同じDNAを持つ娘細胞が2つ誕生する（「体細胞」というのは「生殖細胞」以外の細胞のこと）。

単細胞動物であるゾウリムシは、体細胞分裂によって2つに分かれて増える（無性生殖）。元のゾウリムシと同じDNAのゾウリムシが2体となるわけだ。しかし、この分裂回数は50回くらいで限界が来る。そうなる前にゾウリムシは別のゾウリムシと合体し、それぞれのゾウリムシの体内で減数分裂によって作り出した2個の核

を１つずつ交換する。それぞれの体内に残っている元の核と相手方から来た核が融合して新しい核が生まれる。その後合体していた２体のゾウリムシは再び離れ、若返った？新生ゾウリムシとなる。これがゾウリムシの場合の有性生殖である。ゾウリムシの場合、細胞の融合ということはない。核の交換を通じてDNAを半分ずつ交換するというイメージだ（実際のゾウリムシの核の分裂過程をかなり簡略化したイメージで述べた）。

「減数分裂」という言葉を無造作に用いたが、ヒトやその他の多くの動物で、生殖細胞の分裂（生殖母細胞から生殖細胞への分裂。ヒトの場合男の精子と女の卵子になるための細胞分裂）のことを減数分裂という。

　ヒトの生殖細胞について「染色体23対46本の母細胞が娘細胞に減数分裂する」というとき、「１対２本の染色体（23組）の対が解けて２グループに分かれ、染色体23本ずつの娘細胞２個ができる」とイメージしがちだが、実はそうでない。まず、染色体23対46本の母細胞がDNA複製で染色体を23組92本としてから２つに分かれる（第一次減数分裂）。続いて、それぞれの細胞が、１対の染色体が２グループに分かれる形で染色体23本の娘細胞に分かれる（第二次減数分裂）。結局、１つの母細胞から４つの娘細胞ができることになる。

　なぜ、第二次減数分裂だけでは駄目なのか。それは、多様性の獲得、ということに関わる。

　ここで、単に二つに分かれる第二次減数分裂だけの場合どうなるか考えてみる。遺伝子として、例えば花びらの色A，a、花びらの形B，bを想定する（大文字は優性遺伝子）。ここで今、A/aとB/bは同じ対番号の染色体上にある遺伝子としよう。同じ染色体上の遺伝子として１対２本が２つともA+B、すなわち（A+B）–（A+B）の遺伝子を持つ親と、１対２本が２つともa+b、すなわち（a+b）–

（a+b）の遺伝子を持つ親がいたとする。片方の親が減数分裂で作る生殖細胞はA+Bの、もう片方の親が作る生殖細胞はa+bの遺伝子を持っているので、子の世代の遺伝子は（A+B）−（a+b）の組み合わせとなる。続いて、この遺伝子を持つ子が次の世代を作ること、そのための減数分裂について考える。第二次減数分裂だけであった場合、子の世代が作る生殖細胞の遺伝子は、AとB、aとbの遺伝子がそれぞれ同じ染色体上にあるので、大文字の遺伝子同士、小文字の遺伝子同士が別の染色体へと分かれることはない。つまり、子の世代の生殖細胞の遺伝子の組み合わせは、やはりA+Bとa+bしかない。この生殖細胞の二つが融合して次の世代ができるときの遺伝子の組み合わせは（A+B）−（A+B）、（A+B）−（a+b）、（a+b）−（a+b）の3通りが1：2：1の割合でできる（（A+B）と（A+B）、（A+B）と（a+b）、（a+b）と（A+B）、（a+b）と（a+b）の組み合わせだから。2番目と3番目の組み合わせは（A+B）−（a+b）の同じ結果になる。先に見たエンドウの花の色の話と変わらない）。これだと、祖父母、両親と別の組み合わせは何世代を経てもできない。3種類の組み合わせだけだ。大文字のAとB、小文字のaとbとがセットでしか遺伝していかないので、（A+B）−（A+b）、（A+B）−（a+B）、（A+b）−（A+b）、（A+b）−（a+B）、（a+B）−（a+b）、（a+b）−（A+b）、（a+b）−（a+B）というような組み合わせ（7種類ある）はできないということだ。

　そこで、第一次減数分裂である。一見、体細胞分裂と同じく、1つの細胞が染色体を2倍に増やしてから2つに分裂しているが、第一次減数分裂では、1組の染色体同士の間で、染色体の一部が入れ替わる乗換え（組換え）が生ずる。つまり、親から一本ずつ受け継いで一組になった染色体が親から受け継いだものと同じ一本ずつに再び分かれるのではない。先ほどの例で言うと、片方の親からのA+Bの染色体と、もう片方の親からのa+bの染色体を受け継いで

（A＋B）－（a＋b）の組み合わせの遺伝子を持つ子は、孫世代を作るための第一次減数分裂の過程で、２倍に増えたA＋B染色体とa＋bの染色体が再び単純に２本に分かれるのではなく、A/aの部位とB/bの部位とが交換されて、A＋bの染色体とa＋Bの染色体が生まれることもある。あまり親や兄弟に似ていない兄弟ができることもあるわけだ。

　要するに、有性生殖の特徴は、同じ番号の染色体についてみても、様々な遺伝子の組み合わせの染色体を作り出して子孫に伝える可能性を生むことになる。世代の進行とともに、それぞれの染色体の中の遺伝子のパターンが増える。これによって相当多様な遺伝子の組み合わせを持った染色体が誕生するということだ。

　さらに。ここに、「突然変異」が加わる。

　突然変異とは、DNA複製の過程における揺らぎ・エラーである。

　説明が前後するが、DNA＝デオキシリボ核酸は、アデニン（A）、グアニン（G）、シトシン（C）、チミン（T）という４種類の塩基とリン酸と糖からなっている。アデニン（A）とチミン（T）、グアニン（G）とシトシン（C）は水素結合でつながる性質を有する。この束が連結して１本の鎖となり、鎖２本がらせん状に絡み合って２重らせん構造を構成する。ここで注意すべきことは、それぞれの鎖が絡み合うのは４つの塩基の相補的な（AとT、GとCとがお互いに補完する）水素結合による、ということだ。CTC GAG AGTという鎖の一部があったとすると、これと絡み合っているもう１本の鎖の対応する部分はGAG CTC TCAになっているということだ。DNAの自己複製とはこの２重らせんがほどけたのち、それぞれの鎖の塩基に相補的な塩基が繋がり同じ２重らせん２本になるということである（CTCとGAGという部分が相補的に絡み合っている２本の鎖がほどける。１本にはCTC、もう１本にはGAG。１

本の CTC の 2 つの C に新たな G が 1 つずつ、T に新たな A が 1 つ水素結合して GAG というもう 1 本の鎖の部分ができる。ほどけた対の GAG にも対応して CTC が水素結合する。これで CTC と GAG の組み合わせが 2 倍に増えた。自己複製である）。

　突然変異は、この 2 本の鎖がほどけるときの事故や傷ついた DNA の揺らぎや DNA のコピーの際のエラーが原因で DNA が変質することにより起きる。この突然変異が生殖細胞で起きるとその変質した DNA によって発生する個体の形質の変化は「遺伝」する。

　無性生殖の場合も分裂する過程で突然変異が起こることはある。そのエラーに伴い変化した形質のうち生存に有利な形質が生き残り、さらに無性生殖の分裂の過程でその有利な形質を持った個体が増殖して、新たな形質の集団が出来上がれば新たな「種」の誕生だ。これを「進化」と呼ぶ。

　項を変えて、さらに、進化、種というものについて考えていくことにしよう。

（注 1）母親に由来する23本の染色体を持つ卵子と父親に由来する23本の染色体を持つ精子とが、一体となって23対46本の染色体を持つ受精卵になる。

4. 自己保存と種の保存。如何(いか)にして遺伝子をリレーするか？

「生きている」ことを「個体として DNA の自己複製機能に基づく自己組織化（発生）と自己再構築機能（恒常性）を有する統合体組織」としてだけ捉(とら)えるならば、生命の本質は「自己保存」であると言い換えることもできる。生きていることのポイントを自己保存と

考えれば、万一に備えて自己増殖、つまり、無性生殖で分裂して増えた方が、自分と全く同じ遺伝子を持つクローンができていくのだから得である。有性生殖では、自分の DNA の半分しか子どもに伝わらない。また、有性生殖では、一つの子どもを作るのに二つの親が必要なので、一つの親（というべきかは迷うけれども）が２つに分かれる無性生殖よりも非効率である。ペアになってくれる相手を探すのも大変だ。異性を引きつけるために鳥はきれいな声で歌わなければいけなかったり、きれいな羽を持たないといけなかったりするし、ヒトも青春時代のかなりのエネルギーをペアになってくれる異性を見つけるため、あるいは見つける訓練をするために費やすことになる。

　前項で述べたように、無性生殖の場合も分裂する過程で突然変異（遺伝子の複製過程の揺らぎ・エラー）が起きることはある。そのエラーのうち生存に有利な形質が残り、さらに無性生殖の分裂の過程でその有利な形質を持った個体が増殖して、新たな種が誕生することはあり得る。無性生殖だから進化がないとは言えない。無性生殖の方が突然変異により獲得した形質が確実に倍々とねずみ算式に増えていくので、その形質がその生命の置かれた環境において生き延びるのに有利であれば、有性生殖よりも確実な適者生存の手段であると言えるくらいだ。

　それではなぜ有性生殖が必要なのか。きっと将来明らかにされるだろうが、結果から考えた場合、次のようなことが理由ではないかと思う。やはりキーワードは「多様性」。

　前項で説明したように、第一次減数分裂の結果、有性生殖は無性生殖と比べて、多様な遺伝子の組み合わせができやすい。ゾウリムシとかヒトとかいう「種」(注1) は同じであっても、その種の中で多様性を持つ方が、その種を取り巻く環境が変化したときにその種の中のどれかの個体が生き残るチャンスが大きい。つまり、種として

存続できる可能性が広がる。

　突然変異によって生存に有利な形質を獲得した場合にも、この形質（変異した遺伝子）を、（無性生殖で）自らの複製の中だけで保有していくよりも、他の個体と半分ずつ遺伝子を交換して同一の種にある多様な個体の中で保有していく方が、最終的にはこの形質の保存に有利に働くということになる。また、自分が獲得した有利な形質と他の個体が確立した有利な形質とを交換して、両者を併せ持つ子どもができるというメリットもある。

　更に、第一次減数分裂において A/a の部位と B/b の部位とが交換されるときには、単に2つに分かれるよりもコピー・エラーが起きやすい。突然変異が起きやすい、つまり多様性の獲得につながりやすい。有性生殖する生命体がこの地球上に数多く存在するのは以上のようなことが理由だと思う。

　結局のところ、生命の本質は DNA の自己複製をベース（基盤）とするものの、環境が変化した場合に生き残っていくことができたのは、突然変異により獲得した形質を生殖により後代に伝える進化という方法があったからである。そうして数と種類を増やしてきた生命の中には、有性生殖によってより多様な形に変形し、複雑な動作ができるようになった個体群があり、我々ヒトはそういう個体群（普通に言うところの動物であり、ほ乳類である）に属している。

　見方を変えると、DNA は、究極の自己保存方法として、自己と「同一の」遺伝子を残すのではなく、ゾウリムシとかヒトとかのそれぞれの種の中で、突然変異を経て進化した様々な種の中で、自己に「由来する」遺伝子を残すことを選択した、と言ってもいいかもしれない（注2）。

　この遺伝子レベルの話を個体（生物）レベルの話に置き換えて考えると、個体として生き延びることよりも種として生き延びる方式

の方が環境の変化に適応できて有利な面があり、そのようにして進化してきたヒトという種にとっては、究極の自己保存の方法が種の保存だということである。^(注3)

　この地球上のすべての種は、何十億年か前に地球に誕生した生命が変化し、様々に分化し、更に変化することを繰り返した結果生まれたものである。すべての生命は地球に生まれた兄弟であり、自己が、また自分の属する種が、更には地球の生命全体が「遺伝子のリレー」を行っている。そこに生命の真の意味がある。私たちは生命のリレーの走者である。

　改めてこの章のタイトルを振り返って述べれば、生命の本質とは、DNAの自己複製機能をベースとして、自己組織化機能、自己再構築機能を持ち、さらに加えて、生殖による種の保存を行い、突然変異により獲得した形質を生殖を通じて後代に伝える進化の可能性を有することである。

（注1）本書では生物の分類について後に説明する部分を除いて、有性生殖のできるグループを指して「種」という言葉を用いている。イヌはラブラドール・レトリーバーからチワワまで大きさも姿形も馬以上に多彩であるが、有性生殖が可能な同じ種である。ロバとウマのように種が異なっても子が生まれるものもあるが、その子のラバ同士では通常子どもができない。イノシシとブタの間の子のイノブタは子どもができる。イノイノブタとか呼ぶこともあるが、ブタはイノシシを家畜化したもので種としてはイノシシである。本書での便宜上の用法として「種」という言葉を用いているので注意されたい。

（注2）もちろん主体的に選択したという意味ではなく、結果からみればそのような捉え方もできるということである。なお、「突然変異を経て進化」する可能性はDNAの自己複製機能のうちに秘められてはいるが、DNA上に暗号化されているわけではないので、この一文はいよいよもって単なる比喩であるから誤解のないようにしてほしい。

（注3）菌類はじめ無性生殖する生命体の方が数は多いかもしれないので、

66

地球上の生命体全体として有性生殖の方が環境適応、適者生存の観点から有利とまで言えるかどうかまではわからない。

補論1　「進化論」について

　以上の説明は、突然変異により獲得した形質が有性生殖によって後代に伝わること、その突然変異による形質の変化が環境適性を有する場合には、種という集団を形成していくことを説明しているが、このことは当然には単細胞生物が進化して、魚類が陸上に上がり、両生類が生まれ、ほ乳類が分かれ出て、という進化論には結びつかない。

「適者生存」は、1859年にダーウィンが『種の起源』で示した考え方である。ダーウィンは、全ての生物は一種あるいはほんの数種の祖先的な生物から分岐して誕生したのだということを述べたので、その考え方は「進化論」と呼ばれ、当時のキリスト教聖職者から激しい非難を受けた。非難を受けた主な理由は、創造主（神）がすべての生き物を作りその姿は不変であると信じられていたのを否定したことと、（適者生存は環境という偶然的差異によるのであって）進化には合目的的な方向性があるわけではない（＝神の計画によらない）としたからである。

　今日でもアメリカ合衆国の保守的な地域では進化論は公立学校では教えられない。米世論調査企業ギャラップが2009年に発表した調査結果によると、進化論を信じていると答えた米国人はわずか40％だったという（最近の調査では6割というものもあるらしい）。ダーウィンの時代には遺伝法則も知られておらず、分子生物学もなかったので彼の結論は十分な検証に耐えなかっただろう。

　しかし、わたしはダーウィンと同じように、我々地球上の生命体は数十億年の進化を経て今日に至っているのであって、ある日、創造主によって、今の姿形の動植物が忽然とこの地上に現れたのでは

ない、と考えている。このことは、過去の地球の堆積物に含まれる化石が堆積物の年代とともに変化していることから明らかにされる（注1）。

（注1）この宇宙は約46億年前にでき、38億年前に生命が誕生したと言われている。これらについてはわたしも確証は持てない。しかし、地層を掘り返して研究する考古学の成果は実証的で確かなものに思える。それによれば、5億年くらい前には海にカブトガニみたいな形の三葉虫がいて、その頃生物の種類が爆発的に増えたということだ。中生代（約2億5000万年前〜約6600万年前）には恐竜がいて、その頃のほ乳類はネズミのような姿のものだけであった。2000万年くらい前にヒト、チンパンジー、オランウータンなどとの共通祖先となるタイプの大型猿が現れた。遺伝子の比較などの方法も使うとチンパンジーの祖先と我々ヒトの祖先とが分かれたのは600万年くらい前だとされる。

補論2　「死」について

　有性生殖する生命においては個体の「死」は必然＝不可避である。ヒトは必ず死ぬ。ただし、ゾウリムシのような有性生殖では生きながらにして別の個体とDNAを交換し合うので、「死」ではなく「再生」があるというべきだろうか。では、個体はなぜ「死」を迎えるのか。言い換えると、恒常性という自己再構築機能に限界があるのはなぜか。なぜ、発生＝成長がピークに至ったところで止まらず、老化から死へ向かうのか、遺伝子的な発動メカニズムが今後解明される日も来るだろう。その発動因子の除去が可能になる（すなわち不老不死の薬ができる）日が来るかも知れない。しかし、有性生殖する生命体は、自分と別の個体との間の子ども、という形で「種の中に自らの遺伝子を残す」方法で「永遠に生きる」道を選んだのだ（自らの意思や決意をもって選んだ、という意味ではないけ

れど）。一つひとつの個体は種の中に遺伝子を残すことに成功すれば既に永遠に生きることに成功しており、古い遺伝子を持った個体は消え去ることが必要であり、必然である。その理由は、ひとつにはスペースや食料となるものが限られた環境の中では、生きていくことができる個体数には限界があるから。もうひとつには近親の交配が起きて遺伝子の多様性が現れるのを制限したり、劣性遺伝の発現につながったりする危険性が高まるからである。

補論3　「生きることの意味」

　本書のタイトルの結論を本書の半ば（なか）で下すのもどうかという気はするが、ここまで読んでくれば明らかなように、生命にとって「生きること」の目標は「生きること」それ自身であり、子孫を残すことは永遠に生きることである。生きること、それ自体が素晴らしいことだ。今こうして私たちが生きていることが、この地球に生命が誕生し、その生命をみごとに受け継いでいることの証（あか）しなのである。生きがいなど見つからなくても心配する必要はない。生きる目標が見つからないからといって絶望する必要もない。生きることの意味は、今こうして生きていることの内（うち）にあるのだから。

次へのステップ

　この地球上に誕生した生命は「遺伝子のリレー」を行う過程で様々な姿に分化してきた。そのひとつの姿である私たち人間（ヒト）は、同じ遺伝子の構造を持ち、人間同士で有性生殖によりこの遺伝子を次の世代にバトンタッチする。だから人間は、同じように感じ、認識するように「できている」のである。

　それぞれの人間は全く同じではないが、その違いは、それぞれの環境においては優位性が認められるとしてもヒトとして別の「種」

となるほどではない差異、あるいは、現在の環境においては生存を左右するほど優位性に違いを生じない程度の差異、その程度の多様性の範囲内のものである。(注1)

　人間には人間特有の、でも、人間共通の感じ方がある。生存に有利な状況を快いと感じ、不利な状況あるいは危険な状況を苦痛に感じる。そのような感じ方ができる個体群が生き延びてきたからだ。（食べることができるかどうかを判別することに比べて生き延びる上で必須でないから）おいしさに比べて美しさの評価の個人差は大きいとはいえ、どちらかと言えば均整がとれている、なめらかである、規則性がある、あるいは自然を模写しているようなものに美しさを感じることが多いのも、そうした風景、眺めが生存に有利な環境が私たちに与える視覚に近いからだ。

　そして、本書の次の課題は、再び、第1章の末尾で提起した問題、「美しいこと、と並んで、善いこと、正しいこと、についても人間は同じような仕方で感じるのだろうか。また、私たちに道徳的価値として共通の『追求目標』となる『善』はあるのか」という本書の目標に向かうのである。

（注1）例えば日差しの強い環境では「青い目」や「白い肌」は生存に不利である。また、平原のサバンナで長年狩猟生活をしてきた種族は視力が6.0あったり、運動神経が優れていたりすることは、マラソンの実況中継で「身体能力の高いアフリカ勢」などという言い回しが普通に使われていることから「公認？」されている。しかし、お互い別種となるには至っていない。

　研究者によれば音楽的才能は結構遺伝するらしく「音楽一家」という言葉もあるが、これまでの地球環境、人間社会では音楽的センスの多寡（たか）は生存を左右するほど優位性に違いを生じない（音痴（おんち）でも生きていける）から、音楽的天才も音痴も程度問題、多様性の範囲内である。身長についても人の場合、それほど差はない（ラブラドー

ル・レトリーバーとチワワほどの違いはない。なお、5万年くらい前に滅んだというインドネシアのフローレス人は、身長1mあまりであった。彼らは孤立した島で進化した結果、少ない食糧で生き残るのに有利なように小型化したとの説もある)。

こうした差異、多様性は、環境が変化すれば、生存に有利な形質となって、そうした形質を有する種族が人類の多数を占めるようになることはあり得る。カラオケが下手だと女性とは縁がなくなるということが社会的に普遍の真理になれば、音痴は絶滅するであろう……。

余録　人格の同一性

「胡蝶の夢」という言葉がある。孟子と同じころの中国の人で荘子（前4世紀頃。姓は荘、名は周、字は子休）(注1) が書いたという『荘子』に載っている話に由来する。胡蝶というのはチョウチョウのこと。「むかし、荘周は自分が蝶になった夢を見た。楽しく飛びまわる蝶になりきって、のびのびと快適であったからであろう。自分が荘周であることを自覚しなかった。ところが、ふと目が覚めてみると、まぎれもなく荘周である。いったい荘周が蝶となった夢を見たのだろうか、それとも蝶が荘周になった夢を見ているのだろうか。」(注2)

「今日の私と昨日の私は同じ私だ」と思っている二番目の理由は意識が継続しているからだ（一番目の理由は外見がほとんど変わらないことだった）。昨日の私は死んでいなくて、今の私につながっている。しかし、本当に意識は継続しているか。荘子は自分が人間か蝶か分からなくなったではないか。

　人間は寝ている間は意識を失っている。熟睡して夢は見ていないことにして話を進めよう。再び目を覚ました時（意識を取り戻した！）に、自分が寝る前の自分と同じだと思えるのは、自分が寝た

ことを覚えていて、目の前の風景が寝る前の風景の記憶と同じだと感じるからだ。それがはっきりしていないときは周りから「寝ぼけている」と言われる。そうした経験の積み重ねで、「目が覚めた私は寝る前の私と同じだ」と思う。深酒で記憶がなくなってから目覚めると目の前の風景の記憶がないから思わず鏡を見て自分の顔が記憶にある自分の顔と同じであるか確かめたくなる。同じ自分である確信が持てなくなったからだ。鏡を見ようと思わない人は酔って記憶をなくす経験を何度もして慣れっこになっているのだろう。

　この、私が私であり続けること、私が存続し続けること、目が覚めた私が寝る前の私と同じ人であること、というのは哲学的には「人格の同一性」の問題である。「同じ人間なんだから同じ人格でしょう」と言わないでほしい。「同じ」人間であるかどうかを判定する基準として「人格」の同一性を基準にできるか、ということを問うているのだから（注3）。厳密な議論のためには「人格」の定義をはっきりさせる必要があるが、よく似た概念の「性格」で捉えればわかるように、20年、30年も経てば好みも性格も変わるのは当たり前だ。酒を飲んだり、ハンドルを握ると「人が変わる」人はいるし、久しぶりに会う人の人柄がすっかり変わって「まるで別人のようだ」ということもなくはない。しかし、この場合も「人格の同一性」は失われていないとわたしも、多分あなたも考えている。なぜか。実は別人でないのか。

　わたしの考えでは、この問題は結局、身体の問題、「外見がほとんど変わらない」という第一基準と不可分であり、以前の身体と後の身体との時間的・空間的連続性によってしか保証されないと思う（注4）。わたしは、身体から切り離された人格の存在を信じられない。言葉を変えると、肉体と切り離された「魂」が存在するとは思わない。

（注1） 孟子が孔子（前551頃－前479）の伝統を受け継ぐ儒教の徒であったのに対し、荘子は老子と似た無為自然を尊ぶ考え方をとった。道教とか老荘思想とか呼ばれる。

（注2）『荘子第一冊（内篇）』岩波文庫、1971年、金谷訳「斉物論篇第二」。

（注3）「今日の私は昨日の私と同じ私だ」と思う第一基準「外見がほとんど変わらない」については、既にDNAの話をしたので「DNAの同一性」による判定ができると言うことができる。ただし、一卵性双生児や羊のドリーのようなクローン生物はDNAだけで判定するのが困難である（ドリーは1996年イギリスのロスリン研究所で羊の体細胞の核移植により作られた子羊の名前。体細胞を取り出された羊と同じDNAを持つクローン。6年半後に死亡）。

（注4） 日本のドラマ（2002年、NHK『どっちがどっち！』、2007年、TBS『パパとムスメの7日間』など）やアニメ（2016年、東宝『君の名は。』など）で定番の人格入れ替わりは起きないということだ。

手塚治虫のマンガ『火の鳥』に出てくるロビタは、事故で死んだ少年の脳をコピーした電子頭脳を備えたロボットだが、製造された当初、身体はロボットにされてしまっているが自分は人間（コピーされた脳の持ち主の少年自身）だと思う。しかしこの二人（？）の人格は同一とは言えない。

わたしが子どものころ夢中になった『宇宙大作戦』（『スタートレック』）ではカーク船長たちスタッフは宇宙船エンタープライズ号から惑星上に瞬間移動する。この「転送装置」は日本版ウィキペディアによると「物質を量子レベルにまで分解し、『転送ビーム』に乗せてエネルギー波として運び、目的地で再物質化するというもの」らしい。転送されたカーク船長もミスタースポックも先ほどまで自分はエンタープライズ号にいた自分と同じ自分だと思っているし、テレビを見ていたわたしもその前提で番組を楽しんでいる。しかし、転送後のカーク船長はロビタとどう違うのか。よく考えるとカーク船長は「量子レベルにまで分解」された時に死んだ。

わたしがこのことに気づいたのは奥浩哉さんのマンガ『GANTZ』（ガンツ。2000〜2013年連載。集英社）を読んだときだ。主人公は、地下鉄のホームから落ちた酔っぱらいを助けようとしてかつての親

友とともに地下鉄にはねられる。死んだと思った次の瞬間には彼らはマンションの一室にいてミッションを与えられる、というところから物語は展開する。ネタバレになるが、彼らは死亡した人間のデータを元に宇宙人の機械により複製されたコピーである。このことの問題は、実は死ななかった人間のコピーができてしまい同じ人間がもう一人現れることで顕在化する。

だから、「今日の私は昨日の私と同じ私だ」と言うためには、意識の継続性の「自覚」では不十分で、そう意識している「脳」と身体のかなりの部分とが時間的・空間的に連続した状態で共に存在することが必要だ。

第3章　人に不変・普遍の真実はあるのか

プロタゴラスとソクラテス

　哲学を英語でフィロソフィー（philosophy）という。由来はギリシア語のフィロソフィア、直訳すれば「知を愛する」ことである（上智大学はソフィア・ユニバーシティーである）。ギリシア七賢人のひとり、タレス（前624頃－前546頃）は「万物の根源は水である」と述べ、哲学の父とよばれた。哲学は、「物質は何からできているのか」ということから始まった（自然哲学）。

　ペルシアの侵攻（前500～前479）を退けたギリシア都市国家群の盟主となったアテネでは、民主制が進展する[注1]過程において弁論術が盛んになった。前5世紀のアテネで活躍した弁論術の教師たちを「ソフィスト」という（「知恵のある人」という意味だ）。その代表格はプロタゴラス（前480頃－前410頃？）。「人間は万物の尺度である」という言葉で知られるように、認識の相対主義を唱え、絶対的な知識、価値、真理、道徳といったものの存在を否定した。彼の人気は絶大であり、何が真実であるかということよりも、如何に他人を説得し状況を自分に有利に展開させるかに重きを置く弁論術が隆盛を誇るようになった。

　さて、中世ヨーロッパにおいてデカルトが近代哲学を切り拓いたように、ギリシア哲学において画期をなしたのがソクラテス（前469頃－前399）である。著作を遺さなかったので、彼に師事したプラトンの手になる一連の著作の主人公として、私たちはその思想の一端に触れることになる。彼は自然哲学やピタゴラス（前6世紀）学徒に親しみ、スパルタとのペロポネソス戦争（前431～前404）初期に重装歩兵として従軍した。そして、アテネ市民を相手

に対話をしながら対話の相手が自らの無知を自覚するように促した。ソクラテスの友人がデルフォイの神に彼以上の賢者があるかと伺いを立てたところ、神の信託を受けた巫女は「一人もいない」と答えた。ソクラテスはその意味、暗示を自問した。その意味を求めて賢者と世評のある人物を訪れて対談した結果、「私達は二人とも、善についても美についても何も知っていまいと思われるが、しかし、彼は何も知らないのに、何かを知っていると信じており、これに反して私は、何も知りはしないが、知っているとも思っていない」、「されば私は、少なくとも自ら知らぬことを知っているとは思っていないかぎりにおいて、あの男よりも智慧の上で少しばかり優っているらしく思われる」との結論を得た。彼は令名のある人々を歴訪し、質問を投げかけ、彼らが賢者でないこと指摘して回ったので、多くの敵を作ったという(注2)。「無知の知」を広めたソクラテスは「青年を腐敗せしめ且つ国家の信ずる神々を信ぜずして他の新しき神霊を信ずる」罪で告発され、死刑判決を得、その後は脱出の誘いを振り切って、毒ニンジンをあおって死んだ。

　ところで、ソクラテスは何も無知を誇ろうとしたわけではなく、真理を追究しようとしていたというべきだろう。「人間は万物の尺度である」はずはなく、この世には客観的真理が存在すると考えた。人間はすべてを知ることはできないが、そうであればなおさら知り得る限界まで探求して、人間として最大限善い生き方をするべきだと考えていたと思う。

　プラトンの著になる『プロタゴラス』(注3) では、ソクラテスはアテネを訪れたプロタゴラスと対面し、「徳は教えることができるか」ということを議論している。その中では、「徳」が「正義」「節制」「敬虔」「勇気」「知恵」といった概念との関係において語られ、議論は「善」とは何かということに発展する。楽しみの内に生きるのは善き生であるのか、「楽しみ」とは「快楽」を内に持っているもの

なのか、「快楽」それ自体は「善」か否か^(注4)。

　プラトンの著作の中でソクラテスは「愛について」(『饗宴』)、「知識について」(『テアイトス』)、「魂の不死について」(『パイドン』) 対話を展開するが、その主要な関心事は善き生き方をすることであり、だから、人間としての善 (＝徳) とは何かを追求したのだ。

　そして私たちもこのことを考えていこう。

(注1) 古代ギリシアにおいては、民主制は、戦争において戦う者が、王に代わって戦争をするかどうかを決めるための制度として発展した。ギリシアにおける戦闘単位は長槍を持った密集隊形「重装歩兵」であり、この重装歩兵を構成する平民 (古来、戦争に負けた者は奴隷に落とされた。ギリシアには奴隷制度があり、奴隷は市民ではない。戦争に行かない) を確保するためにアテネの執政官ソロン (前640頃－前560頃) は借金を返せない者を奴隷にする債務奴隷を禁止し、財産を持つ平民の政治参加を認めた (ソロンの改革。前594)。ペルシア戦争期を通じてアテネでは軍艦「三段櫂船」の漕ぎ手の多くを占めた無産市民の協力を得るために参政権が拡大し、男性市民全員 (奴隷は除く) による民主政治が確立した。

なお、近代・現代の普通選挙制度も、戦争の大規模化によって、兵力として、また、納税者として国民の支援・協力なくして国家が生き残れない必要から普及した点は古代ギリシアと同じ事情がある (実は民主主義と徴兵制とは親和性が高い)。

(注2) プラトン『ソクラテスの弁明・クリトン』岩波文庫、1964年、久保訳「ソクラテスの弁明(五)～(九)」。

(注3) 『プロタゴラス　ソフィストたち』岩波文庫、1988年、藤沢訳。ソクラテスはともかくとして、プラトンはソフィストを好きではなかったであろうことは「弁論術について」を副題に持つ『ゴルギアス』を読むと感じられる。

(注4) 快い＝善、苦痛＝悪だとしても、人が「善」に向かわないのはなぜか。『プロタゴラス』における一応の結論は、人が少ない目先の「快

い」に負けて、後の多くの「善」を捨ててしまうのは、先を見通す「計量の術」（という知識）の不足のためだ、ということである。

1. 快楽と善。神が理性を与えたのか？

古代ギリシアでは、あるものをなぜ「美しい」と感じるのか、ということが色々と議論された。「美」はよいものとされていたから、「美」について論じるとき、ほかのよいものである「善」や「真理」との関係も検討された。

これらはいずれも「快い」感覚を与えると考えられたから「快楽」との関係も検討された。

プラトンは、人間には肉体を離れて存在する「魂」というものがあり、人間が物質界において様々なもの、観念を認識できるのは、人間の魂が誕生前にイデア界にいた時の知識を想起するからだと考えたことは前に述べた。「美」のイデア、「善」のイデア。

プラトンの弟子、アレクサンダー大王の家庭教師、分類の巨人にして生物学の創始者アリストテレス（前384－前322）は「魂」をもう少し性質や働き、機能を表すものとして捉え、イデア論を否定した。彼によれば、植物、動物、人間は、みな魂の働きによって生長し、生殖する。動物と人間は、これに加えて魂の働きによって快・不快を感じ、これに基づく行動をする。さらに、人間は、魂の働きによって五感から得た感覚を基盤として理性によって思考することで動物と区別される。生物が無生物と、人間・動物が植物と、人間が動物と、それぞれ区別されるのは、魂の有無、魂の働き方、理性の有無の違いによるものだと考えたらしい。

アリストテレスの理解によれば、人間の活動・営みにはすべて目的があり、それは「幸福」である。最上位の目的には「最高善」がある。たんに快楽を得ることだけではなく、人間の魂が理性を発展

させること、動物とは異なる人間的な卓越性を示すこと（たとえば政治の実践）が人間の幸福であるとした。こうした人間的な卓越性を備えている人が善い人間である。(注1)

　アリストテレスの思想は、イスラーム教世界、中世ヨーロッパにも大きく影響したし、「理性」をよりどころにして人間と他の動物との違いを決定づける考えはキリスト教神学と結びつき、デカルト以降の近代哲学をも虜（とりこ）にした。しかし、前章でみたように、人間の本質を捉える上で魂や理性を基礎に据えるのは「真理」ではない。他方、快楽と幸福と「善」との関係はもう少し考えてみる必要がある。

　「美」という漢字は、「羊」と「大」という漢字の組み合わせだ。古代中国では、祭事に用いる生け贄（にえ）の羊が大きいことは美しい、とされたのである。同じ生け贄の「羊」を用いる漢字に、「善」があり、「義」がある。美、善、義には古代中国の宗教観・世界観において「よい」という共通した観念があったのだ。洋の東西を問わず、古代中国人と古代ギリシア人は、「よい」とされる価値について、視覚的なもの（美）と、道徳的なもの（善）との間に何か共通のものがあると考えた。

　第1章で触れた孟子は、アリストテレスと同時代の人物である。孟子は「性善説」で知られる。「人間の本性は善である」という考え方だ。性善説を説明するのによく引用されるのが「惻隠の情」の話だ。「惻隠（そくいん）の情」とは、人をいたわしく思う心、あわれみの気持ちということ（『広辞苑』）。『孟子』を読んでみよう。「人間なら誰でもあわれみの心（同情心）はあるものだ。（中略）では、誰にでもこのようなあわれみの心はあるものだとどうして分るのかといえば、その理由（わけ）はこうだ。たとえば、ヨチヨチ歩く幼（おさ）な子が今にも井戸に落ちこみそうなのを見かければ、誰しも思わず知らずハッと

してかけつけて助けようとする。これは可愛相だ、助けてやろうと［の一念から］とっさにすることで、もちろんこれ（助けたこと）を縁故にその子の親と近づきになろうとか、村人や友達からほめてもらおうとかのためではなく、また、見殺しにしたら非難されるからと恐れてのためでもない。してみれば、あわれみの心がないものは、人間ではない。悪をはじにくむ心のないものは人間ではない。譲りあう心のないものは人間ではない。善し悪しを見わける心のないものは、人間ではない。あわれみの心は仁の芽生え（萌芽）であり、譲りあう心は礼の芽生えであり、悪をはじにくむ心は義の芽生えであり、善し悪しを見わける心は智の芽生えである。人間にこの四つ（仁義礼智）の芽生えがあるのは、ちょうど四本の手足と同じように、生まれながらに備わっているものなのだ。」(注2)。孟子が、口、耳、目の嗜好は人により大差ない、だから、皆が「よし」とするものがあると述べたことは前に引用したが、その部分は次のように続いている。「だからこう言う。口においては味覚に同じ嗜好があり、耳においては聴覚に同じ音感があり、目においては色覚に同じ美があるのだから、心においてだけ同じく『よし』とするものがないということがあろうか。では心が『よし』とするものとは何か。それは、理であり、義である。聖人とは、この私たちの心に『よし』とされるものを身につけた人に過ぎない。だから、理や義が我々の心を喜ばせるのは、牛肉や豚肉が我々の口を喜ばせるのと同じことだ。」(注3)

　プラトンも、アリストテレスも、孟子も、人間の本質に迫ろうとした。しかし、彼らの時代には、遺伝学も、考古学も、分子生物学も、進化心理学も、脳・神経科学もなかった。だから、自分たちの仮説を証明することは難しかったが、その結論は当時の文明水準からすると説得力があり、多くの人々に支持された。では、私たちも、これまでみてきたところ、現代の科学的知見をベースに、推論

していこう。

　第1章、第2章でみてきたことを簡単にまとめるとこうだ。人間は同じように快いと感じ、同じようにおいしいと感じ、同じように美しいと感じるように「できている」。それは生命としての進化の過程で得た感じ方が、ヒトに進化した生命体の生存（種の保存）に有利なものとして残ってきたからである。同じ種としてヒトが人間に特有で、人間に共通の感じ方をするように「できている」のは、進化の過程で獲得した「形質」をDNAにおいて共有しているからである。生存に有利な状態を「快い」と感じる、そのことは味覚においては「おいしい」、視覚においては「美しい」と感じることに通じている。それが直接生存に有利である（おいしい）か、生存に有利な状態と密接に繋っている（美しい）から「快い」感じ方をする。

　そうであるなら、第1章で積み残された疑問、「おいしい」、「美しい」と同じように、倫理的、道徳的な価値概念である「善」にも万人共通の感じ方がある、それは「快い」という感じ方につながっていると言えるはずであるがそうだろうか。「おいしい」、「美しい」という感じ方と、どれくらい同じでどれくらい違っているのか、「善」独特の事情があるのかということについて、進化の過程やその過程でヒトが獲得した独特な「形質」に着目して考察しよう。

　考古学や、遺伝子の比較などによって明らかにされつつあるヒトの歴史は、前にも少し触れたが次のようなものだ。

　2000万年くらい前にヒト、チンパンジー、オランウータンなどとの共通祖先となるタイプの大型猿が現れた（類人猿）。チンパンジーの祖先と我々ヒトの祖先（化石人類）とが分かれたのは600万年くらい前だとされる。200万年くらい前にはアウストラロピテク

ス（「南の猿」の意味。猿人）と呼ばれるヒト属（人類）が直立歩行し、石器を使うようになった。そこから脳が大きくなっていく。アフリカにのみいた人類はこのころから世界に散っていく。

　50万年くらい前に旧人（ネアンデルタール人など）、20万年くらい前に今の人類に連なる新人（ホモ・サピエンス。クロマニョン人など）が現れた。最近のミトコンドリア研究などの成果を踏まえると、今の人類の直接の祖先としてアフリカ生まれの共通のホモ・サピエンスのメスがいる、そのうち、アジア方面に広がっていった者たちはネアンデルタール人との交雑が起こっているという。そうだとするとネアンデルタール人も我々と同種のヒトであり、かつては色々なヒトが世界に同時に存在していたが、今や他のヒト属（人類）は滅んでしまったことになる。

　さて、人間の感じ方のうち、他の動物も同じように感じる（と思われる）「形質」はより長い期間保有されてきた形質であるから、それだけ人間にとって強固な共通の感じ方になっているだろうと推認される。また、チンパンジーも同じように感じていると思われる形質が次に万人に共通である度合いが大きい感じ方になっているだろう。ヒトに特有の感じ方はそれ故に私たちが他の動物と区別される所以（ゆえん）ではあるが、個人差が大きいことにつながっているだろう。これがわたしの仮説である。更に推論を進めていこう。

　生物学的には、私たちは、動物界、脊索（せきさく）動物門、ほ乳鋼、霊長（れいちょう）目（もく）（サル目、霊長類ともいう）、ヒト科、ヒト族、ヒト属に属する。ネアンデルタール人もヒト属、チンパンジー、ボノボはヒト族、オランウータンはヒト科、キツネザルは霊長類、イヌ、サル、ゾウ、クジラはほ乳鋼であり、これらの順に私たちヒトから見て DNA 的に遠い存在といえる。

　ほ乳鋼の特徴は卵を産むのではなく成体と形が似ている赤ん坊の

形で子どもを産み、母親の乳を飲ませてしばらく子育てすること
だ。霊長目では牛や馬に比べて赤ん坊は無力な状態で生まれる（馬
の赤ん坊は生まれた直後に立ち上がる）からより長い期間子どもの
面倒を見なくてはならない。子どもの面倒を見たい欲求は子どもへ
の愛という感じ方につながる。子どもに愛を強く感じる「形質」は
種の保存に有利な形質として生き延びる。このことは DNA に刷り
込まれており、子どもと似て「小さくて丸いもの」を私たちは「か
わいい」と感じ愛するようにできている(注4)。

　また、子どもに対する愛着はその裏返しである感情、子どもが成
長せずに死んでしまったとき、特に誕生直後の死よりも独り立ち間
近まで愛情を注いだ場合の死の喪失感が大きいという感じ方（形
質）に通じるから、子どもを失った時の喪失感「悲しみ」もかなり
強固な共通の感じ方である。このことと繋がっている万人共通の
感じ方として、肉親やペットや大切にしていた物を失った時の喪失
感、悲哀感がある。

　なお、人が人を殺さない、むやみに殺し合わないということは、
種を保存していく上で動物に共通のものであるから、殺人への忌避
感は強力な倫理観である。人を殺さないことを「善」とは通常は呼
ばない。「善」以前の問題とされている。(注5)(注6)

　以上から、倫理的価値観である「善」のうち、幼き者への愛（そ
れは弱いものへの愛に結びつきやすい）、離別に対する悲しみは、
ヒト以前に獲得された形質であり、強固な倫理観として獲得されて
いると言える。では、次に、ヒトに特有の倫理観を見ていこう。

（注１）「人間は社会的動物である」というアリストテレスの言葉の意味は、
　　　　人間は善く生きることを目指す人々の集合体である社会（ポリス的
　　　　共同体）において、自己の人間としての完成を実現する（すべき）
　　　　存在である、という意味であって、人間には集団生活をする特性が

あるとか、人間には社会を構成する本能があるとか言おうとしたわけではないので注意が必要だ。

（注2）『孟子　上』岩波文庫、1968年、小林訳「公孫丑上」。

（注3）孟子の「性善説」を持ち出して、「洋の東西を問わず」と書くと「いやいや中国には荀子の『性悪説』もあるだろう」という反論が聞こえてきそうである。

　　　　荀子（前298頃〜前235頃）の説は確かに「性悪説」として孟子の性善説と対比されることが多いが、荀子にとっての「悪」は、おいしい物を食べたいとか、美しいものを見たいとか、安楽を求めるとかいう欲望を指していた。これらのものを放置すると世の中の「乱」につながる。世の中が「乱」れないで秩序正しく治まるためには人の本性であるこれらの「悪」をコントロールしないといけない、というのが性悪説の要点だ。性悪説の「悪」は仏教が「苦」の根源とした煩悩と同じようなものだ。こうなると「快い」も「悪」に通じる。荀子の「悪」は普通に言われている「悪」の概念とは少し違うことには注意しておいた方がいいだろう。

　　　　「道徳的に正しいこと」としての「善」という考え方がどこから生まれたのか、なぜそういう考え方が必要なのか、「善」について議論する意義は何か、と言えば、それは、社会秩序の安定、人間世界の繁栄、人々の幸せのために、人々が「善」を行うことが有益だからである。孟子はそのような意味での「善」の端緒（「とっかかり」ということ）は生まれつき人間に備わっていると言い、荀子はそのような「善」は生まれつきのものでないから、学問や礼により身につけていく必要があると唱えたのだった。孟子は「惻隠の心は仁の端なり、羞悪の心は義の端なり、辞譲の心は礼の端なり、是非の心は智の端なり」と述べた。

（注4）1000年少し前に、日本の清少納言も「うつくしきもの」（現代語では「かわいいもの」の意味）として、小さい子どものしぐさ、ひな鳥が親鳥について歩く様子などとともに、ひな人形の道具、池から摘んできた小さい葵を挙げて「ちひさきものはみなうつくし」としている。『枕草子』岩波文庫、1962年、池田校訂「151段」。

（注5）ただし、後述の「仲間意識」の形成との関係ですべての殺人が忌避

84

されるわけではない。

（注6）ここで少し、「善」とは別の価値についても述べておく。動物園の動物に与えるエサから推測すると、霊長目、なかでもヒト科は同じような食べ物を美味しいと感じるようだ。同じほ乳鋼でも牛や馬は草を美味しいと思うが、私たちは消化できない。だから、人間の「おいしい」という感じ方は、類人猿登場以来の2000万年の歴史を経て生き延びてきた強固な感じ方だろう。

あいにく「美」についてはチンパンジーがどう感じているか分からないので何とも言えないが、今から約2万年前にラスコー洞穴に壁画を描いたクロマニョン人が私たちと同じ美的感覚を有していたことは疑えない。

２．社会的動物と善。人間特有の事情は何か？

　人類は森から草原に出てうろうろと食べられるものを探しながら何百万年かを過ごし、200万年くらい前には直立歩行して石器が少し上手に作れるようになった。そこから、ヒトとして進化してきた。子孫に遺伝していく「形質」を万人共通の、種として固有のものとして育て上げるのにどれくらいの時間が必要なのかはわからないが、ヒト属の中の「種」であるネアンデルタール人などの旧人が50万年前に登場し、新人が20万年前に登場したなら、新しい「種」の誕生には、30万年とか50万年は最低限必要なのだろう。新しい「種」とまではいかなくとも、生物としてかなりの違いとなる「形質」について考えると、クロマニョン人は4万〜5万年前に登場したというから、「亜種」（「種」に次ぐ、種の下位の分類）が集団として形成されたり、「強固な」形質が定着したりするには十万年単位の年月が必要なのかもしれない（タイミングだけの問題で、突然変異を遺伝形質として獲得すれば、一気に広がって集団を形成することもあるのかもしれない）。

その一方で、人間の目の色や、皮膚の色、視力、身体能力などの違いは、現生人類（新人）登場後の10万年くらいのうちに、生活環境の違いからもたらされたものであるから、民族的（よく「人種」という言葉が充てられるが「種」とは異なる概念なのでまぎれのないように「民族」と呼んでおく）に遺伝していく異なる体質や感じ方を生むのには数万年もあれば足りるのだろう。

　倫理的価値観である「善」は、社会生活の在り方とかかわりの深い価値概念である。ヒトは少なくとも200万年以上は石器を使った狩猟採集生活を営んできた。そこでは複数の家族を中心として20人から50人、多くても100人程度の集団からなる社会を形成していたと目されている。したがって、前項で述べた「幼き者への愛」、「離別に対する悲しみ」に次ぐ倫理観としては、このような集団の維持に有利な形質が生存（種の保存）に有利なものとして200万年の時を経てDNAに刷り込まれており、これが倫理上「快い」感じ方としての「善」の基盤になっているだろう。(注1)

　集団の維持に必要な考え方としては「仲間」という概念がある。また「相互扶助」という考え方も不可欠である。種の保存に必要な感じ方として人間に比較的強固に共有されている倫理観としての「善」に、仲間を大切にする、お互いに助け合うということがある。仲間のことを大切にしたり、仲間を助けたりするとヒトは気持ちよく感じるようにできており、そう感じられるヒトの集団が同じ種の中でも生き延びてきたと考えられる。(注2)

　また、集団を維持する観点からは「公平」という感じ方を持つ集団であることが生き延びる上で優位であったと思われる。このことは近年の行動経済学、ゲーム進化理論の研究で、人間は必ずしも自己利益の最大化を追求するのではなく、公平さを大切にすることが明らかにされていることからもうかがえる(注3)。また、ヒトとはか

なり遠縁の霊長類でアマゾン川流域などに生息しているフサオマキザルは、仲間に寛容で、弱いものに食物を分け与え助け合ったり、感謝を示したりするというのでよく研究素材となるらしいが、公平を求める感情があるだけではなく、不公平なものを忌避する傾向があるということである[注4]。ヒトに限らず集団を形成する種においては同じような感じ方を形質として獲得していくこともあるのだろう。

　小さいものへの愛、離別への悲しみといった霊長目共通の感じ方に次いで、こうした集団生活に伴う感じ方である「仲間意識」、「相互扶助」、「公平」は、種の保存に有利であり、社会的動物であるヒトに「快い」感じを与える「善」である。これらはヒトの「本能」にまで定着した感じ方であり、その限りにおいてではあるが「人の性は善」である。

　ところが、ヒトは進化の過程において他の動物と極めて異なる形質を獲得した。言語である。その結果、それまで人類は、食物連鎖の階層においては最上位ではなく、猛獣に食べられてしまうことに怯えながら何百万年と暮らしてきたのであったが、一挙に生物界の頂点に君臨していくことになった。

　ヒトが高度な言語を操ることができるようになったのは、喉の構造が7万年くらい前に変化を遂げて、母音の発音が上手にできるようになったからだという説がある。確かに、喉と舌がうまく組み合わされば、オウムも人まねで言葉を話すから、考古学的な人体構造の変化がその通りならば、そのころからヒトは言語生活に入ったのかもしれない。しかし、2007年に発見されたネアンデルタール人の舌の骨の形状を根拠に、彼らも解剖学的には現生人類と同じ発声能力があったという説もある。7万年くらい前に、言語革命が起こったであろうとする説が根拠とするのは、道具の発達だ。人類

は200万年の昔から、石同士をぶつけて石器を作り、動物の骨を砕いて骨髄を食べたりしていたとされるが、7万年くらい前から骨や尖（とが）った石を組み合わせて矢じりや釣り針を作り、ランプで火を囲い、針で服を縫（ぬ）うようになった。鑿やナイフを使って高度な道具を作成し、組織的な狩猟、食べられるものについての知識の共有と拡大が進んだ。こういうことをするためには知識の伝達、相続が必要であり、これが言語による高度な意思疎通ができるようになったことの証左（しょうさ）だというのである。(注5)

　ただし、人間のように言葉を自在に操（あやつ）る動物はないが、音声による意思疎通は人間独自のものではない（アリストテレスもカントもこれを人間独自のものであり、それは「理性」に由来すると考えていた）。チンパンジーの叫び声は仲間に対して警告を伝えている。しかも、人間には同じように聞こえる「ギャーギャー」という声も、地上に危険がある場合（たとえば毒ヘビ）と空に危険がある場合（たとえばハゲタカ）とでは音声に違いがあることが確認されている。ゾウやクジラは人間の耳では捉えることのできない低い周波数の音声を使って意思や感情を伝えていることも確かめられている。先日テレビを見ていたら(注6)、アフリカで20匹ほどの群れで暮らし、強い団結力を持ち連携して獲物を狩る犬の仲間リカオンは、狩りに出かけようとのリーダーの提案に対して賛意をクシャミで示し、多数の仲間の賛意が得られないときは狩りに出ない決定をするということだ。このように、言語、音声等による意思疎通も、先ほどのフサオマキザルが「公平」感を持つのと同様ヒトの専売特許ではないが、高度に言語を操る点でヒトが、他の霊長目と大きく異なっていることは間違いなく、そのことが、人間のみが極めて短期間に生存形態を大きく変化させていくことにつながった。

　さて、問題は、ヒトが高度な言語の使用を行うことが万人に共通の倫理的な快い感じ方を与えることにもつながったかということで

ある。この点については正直に言ってよくわからない。ただし、高度な言語を獲得するうえで不可欠な資質に「共感」ということがあることには注意が必要だ。

「共感」という言葉の意味も次元の低いものから高いものまである。第1章（3〈注4〉）で他人がくすぐられても自分がくすぐったく感じたり、映画を観ていて主人公にピンチが訪れると自分も手に汗を握ったりする話をしたが、前者はより低次の共感（「情動伝染」）、後者はやや高次の共感（「感情移入」）である。更に高次の共感に「認知的共感」がある。これは自分と他人とを区別したうえで他人の状態を理解しその感情状態に共鳴できる、他人の置かれた状態を踏まえて他人がどう感じているかを推定することができる、さらには自分がそのように他人の感情を理解していると自覚できる、ということである。

　いつからヒトが「共感」の感情を形質として獲得したかはわからないし、どの程度これが人間独自のものであるのかわからない（感情移入くらいは他の動物にもありそうに思える）が、「共感」ということが言語能力に深くつながっている。「共感」を持つことは集団社会での問題解決にも有効である。言語革命との前後関係はともかく、他人に共感すること、他人を思いやること、人の心の痛みを我がこととして感じられること、は万人共通の倫理的感じ方になっているだろう。この道徳的価値観が「仲間意識」や「相互扶助」といった倫理観と親和性のある感じ方であることは容易に理解できる。

　なお、「共感」ということに関連して、「快い」けれども「善」との関係では微妙と思われる倫理的価値観「優越感」について考えておきたい。

　自己保存を図るためには、時には十分でない食糧を争ってでも勝

ち取る必要がある。平和主義では生き残れなかったであろうから、ヒトのDNAには「競争心」が刻まれており、競争に勝つと「快い」と感じるように「できている」であろう。

しかし、この競争心や優越感を放任することは、他人の「快い」感じ方や集団の利益を損なうことがある。仲間を大切にする仲間意識や公平感、そして敗れた者の気持ちを共感できる能力が、競争心の暴走を抑え優越感を中和して、これらに「完全な」「快い」感じ方を与えないのだとわたしは思う。(注7)

ここまで、ヒトが進化の過程で獲得したであろう遺伝的形質に着目して考察してきた。それによれば、子育てをし、集団で社会を形成し、言語を使いこなす資質を備えた人間には、倫理的、道徳的にも「快い」＝「よい」＝「善」と感じる万人共通の感じ方がある。それは、子どもを愛することであり、身近なものを失うと悲しむことであり、仲間を大切に思うことであり、仲間内で公平に物を分け合うということであり、そうしたことを含めて他人の気持ちを理解することであり、その他人の気持ちを思いやり、気の毒な他人を助けてやる、お互いに助け合うことである。

「おいしい」、「美しい」と同じように、倫理的、道徳的な価値概念である「善」にも万人共通の感じ方がある。人類史的にみれば、その感じ方は、「おいしさ」ほどは強固に万人共通ではないかもしれないが、「美しさ」よりも万人共通の度合いが強くてもおかしくない。

では、それでよいではないか。なぜ「真理」としての「善」があるかどうか論じなければならないのか、なぜ人の性が善であるとか悪であるとかが問題となるのか。古代エジプトで弾圧されていたユダヤの民を率いて神に約束された「乳と蜜の流れる地」(現在のイスラエル周辺) を目指したモーセに、神 (ヤハウェ) は十戒を示し

たというが、「わたしのほかに君は他の神々を持ってはならない」、「安息日を憶えて、これを聖とせよ」、「君の父と母を敬え」、「君の隣人の家を欲しがってはならない」というあたりはともかく、「殺してはならない」、「姦淫してはならない」、「盗んではならない」など[注8]なぜ改めて神から啓示を受けなければならないのか。

　なぜ他の動物たちのように、DNAに刻み込まれた感じ方で、すなわち本能的に持っている「善」の観念で人間社会はやっていけないのか。道徳や法律がなぜ必要になってしまったのか、を考える必要がある。

（注1）チンパンジーにしても、ヒトと同じ時間をかけて、その生活形態に適合的な倫理観を獲得してきたと考えることができる。チンパンジーはメスが成人すると集団から離れていく父系社会である点、母系社会であるニホンザルとは違う倫理観があるのだろう。また、ヒエラルキー社会を形成することを通じて、若者よりも大人が上位にあるべしという倫理観も形成されたと推測できる。また、示威行為や毛づくろいで互いの優劣関係を確認しあうことが「快い」感じ方なのだと思う。

（注2）同じ組織に属する人間が社会的に非難される行為をしたときに庇うことが、しばしば「身内意識」として非難されている報道を見かけるが、この「身内意識」を持つことはかなり強い倫理観としてヒトに組み込まれている。見方を変えれば、思わず悪いことをしてしまった身内を庇わない者は「人でなし」である。刑法は、犯罪者を匿うことを「犯人蔵匿」という犯罪とする一方で、家族（法律上は「親族」）を匿うときは刑を免除できると定めているのもそうした人間の本能的感情に関係あるだろう。

（注3）最後通牒ゲーム（最後通告ゲーム）では、提案者と受け手の二者の間で金銭の分配を行う。実験者が提案者に一定額を渡す。いくら渡されたかは提案者だけではなく受け手も知っている。提案者はこのうちいくらかを渡すことを受け手に提案する。受け手が了解すれば

二者はそれぞれの金銭を手にするが、受け手が拒否すれば二者とも何も得られない。かつての経済学が前提とする経済合理的な人間であれば、受け手はたとえ提案されたのが少額であっても（何ももらえないよりはましだから）提案を拒否することはあり得ない。しかし、実際の実験では受け手は金銭獲得よりも公平を望んで少額の提案は拒否した。また、提案者の側も２割、３割よりも５割に近い提案をすることが多いということである。なお、民族、文化による差異があることも併せて報告されているので、何を公平と感じるかは遺伝による部分と文化による部分とが混在していると思われる。

（注４）京都大学藤田教授らの2013年の発表によれば、公平な物々交換をする人間と公平な交換を拒絶する人間の様子をサルに観察させた直後に、この２人の人間が同時に食物を差し出すと、様子を観察していたサルは、公平な交換を拒絶する人物を回避したという。

（注５）やはり７万年くらい前に、いま世界中にいる人類がアフリカから広がっていったらしい。200万年前から数えて、直立原人やらネアンデルタール人やらに続く何回目かの「出アフリカ」である。今度は道具が良かったからか、言葉を使って連携よく戦えたからか、ネアンデルタール人を殲滅した（一部は混血した）。
木を切り倒して舟を組み上げ、食料、水を積み込んで大航海に乗り出した者たちもあり、４万〜５万年前にはオーストラリア大陸に到達した。

（注６）NHK、2020年５月24日放送『ダーウィンが来た！』。

（注７）裏返せば、仲間でない者に対しては容赦ないことがあり得る。

（注８）『旧約聖書　出エジプト記』岩波文庫、1969年、関根訳「第20章」。

３．道徳と法律。なぜ道徳教育が必要か

人類は、600万年くらい同じような生活をしてきた。200万年くらい前に脳が大きくなって道具を少し上手に作れるようになったし、７万年くらい前には高度な意思疎通が可能になり効率的な狩りや食料の保存や、火の活用や、集団の巨大化が進んだと思われる

が、それでも生活様式に大差はなく、人類は少し上等な狩猟採集生活を営んでいた。そして、そのような社会生活に適した感じ方を、倫理的なよい感じ方（「善」）としてDNAに刻んできた。

この生活と社会の状態が一変したのが1万2000年くらい前に起きたとされる農業革命であり、さらに、これに劇的な変化を与えたのが僅か250年前の産業革命である。ヒトが生まれつき備えている感じ方、倫理的に快いと感じる「善」の価値観では、新たな生活様式に適応障害を生ずる。しかし、ヒトは短期間には新たな社会生活に適合的な新しい感じ方を形質として獲得しDNAに刻み込むことはできない。急激に変化した新たな生活様式は、倫理面のみならずその他の精神面、肉体面でも人間に大きなストレス要因となり、それが人間社会における新たな矛盾や問題を生む。

そこで、新たな生活様式、社会生活に適合する新しい倫理的価値観を「道徳」や「法律」として人工的に作り、その社会で共有する必要が出てくる。だが、そのことを論じる前に、言語革命によって人類が得たもう一つの形質、「物語る」という人間を特徴づける特性と、農業革命を待たずして言語革命により必要となった「原初道徳」（人工的倫理観）について触れておきたい。

言語革命が7万年くらい前に起きたと仮定して、これが何をもたらしたのか。

言語革命が宗教、信仰を発生させたであろうか。この点は分からないことが多い。10万年くらい前、言語革命より前に、ホモ・サピエンスばかりでなくネアンデルタール人も埋葬をした証拠となる遺跡があるということだ。前に述べたように、身近なものを失う喪失感・悲しみはヒトに限らないから、言語がなくても道具を使えば埋葬して引き続き身近に存在を感じる行動には出られるということかもしれない。

しかし、神々の話を作り上げて世界を説明するということが言語抜きにできないことは明らかである。高度な言語を持つことによって何が起きたのか、言語革命の本質に沿って推測してみよう。

　高度な言語を操ることは、単なる叫び声や鳴き声では表現が困難な意思を伝えられるようになったということだ。近くにライオンなどの捕食者がいる、毒ヘビがいる、気をつけろ、というくらいならいくつかの声の調子を使い分けることで伝えることができるだろう。ミツバチも空中に円を描くダンスによって、どの方向に花畑があるか伝えられるくらいであるから。しかし、狩りの対象の獲物がどれくらい離れたところに何頭くらい、どういう状況でいるかを伝えるには高度な言語が必要だろう。少人数で狩りをするときの役割分担なら普段から決めておけるし、自分はこちらから行くからお前はそちらに回れ、というのもジェスチャーでできるだろうが、狩りの途中の獲物の動きに応じて作戦を変更するには高度な言語が役に立つに違いない。

　言語を駆使して事実関係を詳細に伝える技術や、考えを伝える方法はそれなりの年月をかけて開発されたであろうが、こうした能力はいったん獲得されるや速やかに広がっていったであろうことは想像に難くない（子どもはすぐに言葉を覚える）。ところで、事実関係を詳細に伝えるというが、思い違いや言い間違いは常にあるもので、それがトラブルにつながることも普通にあったろう。さすれば意図的な言い間違い＝「嘘」も言語革命に必然的に付随したと思われる。もちろん嘘をつかれた仲間は憤慨し、嘘つきは時には制裁対象となっただろう。しかし、こうして人間は「物語る」能力を獲得した。

　「物語る」とは、虚構を構築する能力である。

　言語革命を経たヒトは「物語る」ことを繰り返し、世界を自分の頭で再構築し、その考えを嘘をつくのと同じ方法で仲間に伝えた。

その物語が仲間から見て理に適っていれば仲間の支持を得た。

　また、こうした世界認識を用いて同調者を増やす、仲間を増やすことも可能になった。仲間を増やすことは狩りを一層大規模で行うために役立つ。稀にしか出会うことのなかった近隣の集団を糾合し、今までよりも大きな社会集団を作り動かしていくうえで、原始的信仰が新たな絆となり、部族の形成、部族神話の創設につながったと推測できる。(注1)

　このヒトの「物語る」特性、虚構によって世界を再構築する特性はきわめて強力であり、それゆえに短期間に遺伝する形質となってヒトを特徴づけていると思われる(注2)。そしてこの虚構で世界を再構築する能力が人類を大きく飛躍させた原動力となるとともに、その作り出す虚構の影響力の大きさが人類にとっての落とし穴にもなる。

　言語革命によって人の集団は大きくなり、技術が進んだ。人の生活様式にも変化が生じたので、生得の倫理的価値観ではうまくやっていけない場面も少しずつ出てきたと思われるが、その変化は比較的穏やかで、生まれつきの倫理観との矛盾はさほど顕在化しなかっただろう。この場面では、ヒトの「物語る」特性はまだ十分にその力を発揮していなかった。しかしこの力が後の農業革命を可能にした潜在力でもあった。

「道徳」や「法律」が本格的に必要になったのは農業革命以降であるが、言語革命が生んだ道徳もあった。それは「嘘をつかないこと」である。言葉を変えると「誠実」とか「正直」、「信義」とかいう概念で捉えられる倫理的価値観である。

　いくら小規模集団とは言え、言葉を覚えた仲間が嘘つきばかりでは社会が成立しないことは明白である。他方、この「嘘をつかないこと」がヒトの形質に定着して「快い」感じ方を与えるまでにな

らなかったことも明らかである（私たちも嘘をついたときに生得的な感じ方として「後ろめたい」ということはない。嘘をついて他人を出し抜くことが「優越感」の「快い」感じ方を与えるかもしれない）。

　だから、「嘘をつかないこと」は原初道徳（人工的倫理観）として道徳の「ハシリ」になっている。

　農業革命は1万2千年くらい前に起きたらしい。実を食べられる植物を人工的に植え、ヒツジやヤギを家畜として飼い人工的に繁殖（はんしょく）させる。

　農業革命によりヒトの生活様式、社会生活は劇的に変化した。そのいくつかを思いつくままに挙げてみると、

- 移動しながらの生活や、広範囲に食べ物を探し回っていた生活から一つ所に定住する生活となった。
- 種まき・収穫の時期や家畜の出産の季節など1年のサイクル、旱魃（かんばつ）、長雨・洪水などの気象に注意しながらの生産が必要となった。ある意味気楽な生活は失われた。
- 生産力向上のために、集団がどんどん巨大化していった。部族を管理するためにはリーダーだけでなく、サブリーダーやリーダーの側近などが必要で、集団内の階級分化が進んだ。
- トータルの生産量は増えたが、人口も増えて生活が楽になったかは分からない。しかし、持てる者と持たざる者の格差が拡大した。

というようなことがあったろう。

ヒトが何百万年かけて積み上げてきた倫理的価値観がまず直面し

た危機は、仲間概念の変化だろう。集団の拡大により、よく知らない関係の者をも助け合うべき仲間として位置付けなくてはならないが、どうやって仲間とそれ以外を区別したら良いのか。

次の問題としては不公平感だろう。大きな集団となってリーダーとは疎遠な場合もある。皆が認めるリーダーがいる場合も、よく知らないサブリーダー連中が偉そうに命令を下す。

関連して、貧富の差の発生からくる不公平感も看過できない。要領の良いものや創意工夫のできる利口者が多くの分配に与る。リーダーの側近連中も甘い汁を吸っている。

余剰生産物の発生は、集団内の職能機能の分化（農具・工具・武器を作る人、糸・布・衣類を作る人、柵・家を作る人、壺・皿・食器を作る人……。そして神に祈る人や占いをする人）を生み出し、更なる耕作地と労働力とを求めて集団間で争う、部族闘争につながっただろう。

この過程では、人が人を殺すことや人を奴隷とすることが起きたであろうが、戦闘における殺人や争いの結果としての奴隷制がヒトの生得の（本能的）倫理観と正面衝突を起こしたかどうかは分からない[注3]。

農業革命以降の生活様式と社会生活は人間が何百万年かけてDNAに刻んできた生得の倫理観と衝突する場面が多くあったが、農業化社会において生存に有利に働く感じ方、新たな倫理観を「形質」として（生得のものとして）獲得する時間はなかった。だから、人間社会はより生存に有利な（＝種の保存に有利な≒生存環境となった社会秩序の維持に有利な）倫理的価値観を「道徳」や「法律」の形で集団の構成員に教育し、習得させることが必要になった。

そこで生まれた倫理的価値観としては、

- 権威を与えられた身分が高い者に従うこと
- 怠けずに一生懸命働くこと
- 他人が正当に得た成果を妬まない、盗まないこと

などがあったろう。

そして、こうした新しい倫理観、特に権威を正統化するために、この世の不思議を支配している神々の物語や、神々と支配階級との密接な関係を「物語る」職能集団の存在が役に立ったことは想像に難くない。5000年前エジプトの王ファラオは天空神ホルスの化身、太陽神ラーの子であったし、神々は命の源であると考えられたメソポタミアでは、伝説のギルガメシュ王は神と人との間の子であり、神と人とをつなぐ者であった。つい最近の神話になってしまうが、日本でも大王家はこの大八洲（日本列島）を作ったイザナギ、イザナミの二神の直系子孫である。

さらに。

18世紀の産業革命は、飛躍的な生産力の向上と技術革新によって人口の増大を可能にし（医学の進歩により出産は安全になり、乳幼児死亡率も大きく低下した）、人々を長寿にしたが、このことは同時に、いよいよ自然から遠ざかるライフスタイル、単純長時間労働、貧富の格差の増大などヒトが長年過ごしてきた生活環境、社会生活と乖離した生き方を私たちに強いる。私たちは更なるストレスに晒されることになった。

長寿をもたらす快適な生存環境の獲得は一方では自己保存に有利であるが、他方ではこれまでの人類史に無かった多くの「快い」ものに囲まれた結果、私たちは、今日、本来自己保存に優先すべき種の保存への意欲が相対的に低下するという危機（＝少子化問題）に直面している。遺伝子のリレーにとって危機的状況だ。

　多くの「快い」ものの筆頭は食べ物であろう。第1章で太ること
の話をした。何しろ食べることが生きることであったから、私たち
は食べられる限り食べるようにできている。飽食の時代にヒトは
肥満、糖尿病、白内障に突き進む宿命にある。ダイエットは現代に
必要な「道徳」だ。

「快い」ものは私たちの精神にも入り込む。狩猟採集生活をして生
きていく上では、コツコツと努力することが必要で、私たちは努力
が報われると嬉しく感じるようにできている。この特性につけ込ま
れてゲーム中毒になる若者が後を絶たない。

　さらに。

　この「快い」感じ方は、脳内分泌物の発生によりもたらされるこ
とが判明しているが、この脳内分泌物を人工的に発生させることで
幸福感を与えつつ人間を廃人とすることもできるようになった。幸
福であることが最高の善であり得るのは、ヒトが人類史において獲
得した「快い」感じ方、すなわち種の保存に有利な状況が与える快
感を幸福と呼ぶからであり、ドラッグによって騙された快感は、擬
似幸福又は偽幸福である。バーチャルリアリティの世界を含め、技
術が与える快感に対して私たちはもっと警戒した方が良い。[注4]

　産業革命によりもたらされた技術や生活様式や思想は、農業革命
以降の社会をまとめてきた物語に、重大な変更を要請することに
なった。そのことによって宗教の物語を拠り所としてきた価値観、
道徳観念にも重大な危機が訪れた。

　この世を作った神さまがいないなら、王様に権力を与えることは
できない。殺すな、盗むなと命じた神がいないなら盗むな、殺すな
という命令は有効なのか。

　更に近年のグローバル化の進展は、部族であれ、国民であれ、な
んとか新たな物語に組み込むことで引き留めてきた「仲間概念」、

このヒトに最も固有で特徴的な基盤的観念をも揺るがしている。

　産業革命より一足先に、絶対王政下の社会の矛盾にいち早く直面したヨーロッパ啓蒙思想はこの矛盾に対して社会契約論を打ち出し、人々の契約に由来する人権と民主主義とをもって新たな物語を作ろうとした。我が国を含む現代の民主主義国家がその基盤とする物語であるが、この物語はキリスト教ほどの成功を収めることはできそうにない。今日この物語を信じられない人々が増えている。

　この世の中を部分的に説明するに過ぎない資本主義の物語も共産主義の物語も、修正に修正を重ねてきたものの見る影もない。

　21世紀の現在、最も力を持つ物語は科学である。実験による再現と検証可能性、論理的美しさ、世界を最も整合的に説明する方法として多くの支持を得ている。科学から生まれた様々な技術は、今日人類を含む地球の生命を絶滅させる力を持つに至った。それなのに、科学自体からはこの科学技術をコントロールするための倫理的価値観が生まれてきていないように見える。

　だから、私たちは、現代社会において私たちが種の保存を図り、更にはこの地球上の生命たちの遺伝子のリレーに有利なように、人工的な倫理的価値観を再構築する必要がある。

（注1）とはいえ、1部族の規模はそれほど大きくはなかったかもしれない。イギリスが植民を始める前のオーストラリアの原住民アボリジニは多様なコミュニティがそれぞれの文化、言語、習慣を有し、言語の種類は250以上あったという。30万〜100万人が700以上の部族に分かれていたというから、1部族は平均1000人程度となる。それでも言語革命以前の人類が50人程度の集団で暮らしていたとみられることからすると大規模である。

（注2）分離脳というものがある。てんかん発作を引き起こす電気信号の伝達を抑える目的で、右脳と左脳をつなぐ軸索を切断する治療法だ。1960年代、カリフォルニア工科大学のスペリーらは、この治療を施

した患者を対象とした実験で、脳の右半球と左半球がそれぞれ独立した意識と役割を持っていることを明らかにした（1981年ノーベル賞）。右脳は左半身と繋がるとともに、空間把握、音楽などの能力をつかさどる。左脳は右半身と繋がるとともに、言語、抽象的思考、算術演算などをつかさどる。

分離脳患者を被験者にした実験で、左脳（右目）に鶏の爪の画像を与え、右脳（左目）に雪の積もった画像を同時に与え、被験者に画像にマッチしたカードを手に取らせた、というものがある。実験では左脳につながっている右手はニワトリのカードを、右脳につながっている左手はシャベルのカード（雪かきの発想？）を選んだ。そこで、改めて両目で2枚のカードを見せそれを選んだ理由を説明させたところ「ニワトリの爪が見えたからニワトリの絵を選びました（左脳の論理）。シャベルは鶏小屋の掃除に使いますね（左脳による虚構）」と答えたそうである。左目の画像（雪）は左脳に届いていない中で左脳は眼前の世界を説明する虚構を作り出したということらしい。

（注3）生得の倫理観である仲間意識は集団の外に対しては働かないから。チンパンジーやヒトは敵対する集団を皆殺しにして争う生き物で、同じ霊長目ヒト科のボノボ（チンパンジー属）と異なっているとされる。ヒト科にはヒトとチンパンジーとボノボの三種があるが数百万年の生活文化の中でそれぞれ異なる倫理観を育んできたのだろう。

（注4）1954年カリフォルニア工科大学でラットを使った実験が行われた。ネズミの脳の視床下部に電極を通し、ネズミがテコを押すとスイッチが入り快楽中枢を刺激する。脳内物質ドーパミンが出てヤル気を促し快楽を与えるということで、ネズミはテコを繰り返し押し続ける。脳深部刺激療法としてパーキンソン病の治療に使われるらしいが、ゲーム中毒もこのネズミと同じ状態らしい。

脳内分泌物には集中力を高めるノルアドレナリンや苦痛を和らげるオピオイド（人工的に合成すると薬になる。私も先日腰痛治療に服用した）、エンドルフィンなどがある。1975年に発見されたエンドルフィンは脳内麻薬とも言われ強い幸福感をもたらす物質である。こ

うした脳内分泌物を人工的にもたらすのが麻薬であり、擬似幸福が
依存症、中毒を生む。

4．道徳設計の在り方。基本原理は何か？

ここまでの考察をまとめるとこうだ。

ヒトはほ乳類として数億年、類人猿として2000万年過ごす中で、
小さいものへの愛情、死への嫌悪を含む身近なものとの離別の悲し
みをDNAに刻み、さらに数百万年かけて狩猟採集の少人数集団社
会に適合した倫理観、すなわち、仲間を大切にする気持ち、仲間内
での公平に重きをおく感覚、他人の気持ちをくみ取る同情心、助け
合いの気持ちなど、種の保存に有利な感じ方を生得の（遺伝する、
アプリオリな）形質として獲得してきた。

こうして育んできたDNA的倫理観であるが、農業革命以降の新
たな生活様式と社会生活においては、社会が発展し、人類が繁栄し
ていく（＝種の保存が図られる）ために人々に求められる行動規範
と適合的でない部分が出てくる。この場面において、人間は、社会
発展に必要な新たな倫理観を「道徳」や「法律」の形で集団の構成
員に教育し、習得させることが必要になった。(注1)

言語革命によっても「嘘をつかないこと」（誠実、正直、信義）
が人工的倫理観（＝「善い」価値）として誕生していたが、農業革
命によって追加された新たな倫理観として、身分ある者（高貴な
者）への服従、勤労、協力、能力や成果に応じた報酬ということが
あっただろう。社会がより複雑に構築されていくのにつれて（生存
環境である）社会秩序の尊重がより求められただろう。

また、集団の規模の拡大は、社会的存在であるヒトがその基盤と
している「仲間概念」の拡張を必要とし、新たに「部族」とか「民
族」という仲間概念を生んだ。さらに、耕作に適した肥沃な土地は

人々を引き付け、余剰生産物の発生は交易を活発化させるから他の部族との接触機会は拡大し、ギリシアにおけるような旅人を大切にもてなす掟（それゆえにオデュッセウスはトロイア攻略の後10年を要したものの、無事故国にたどり着けた[注2]）、戦争捕虜の扱いなどのルールを作り出しただろう。

　さらに、産業革命後の生活、社会の変化は急激で、大量生産や資本主義を発展させるためには新たな倫理観や政治体制が必要となった。効率性、勤勉、時間厳守、成果主義は更に尊重される価値となった。消費生活は美化され、国民国家という新たな仲間概念を生んで、帝国主義戦争を勝ち抜いた。他方で、資本主義から生ずる格差、不平等感を、民主主義や社会福祉がもたらす公平感によって補った。

　農業革命以降の社会が新しい倫理観（＝道徳）を開発する上では、ヒトが「物語る」生き物であることが大きく貢献した。

　人間社会は、かつては神々や天をベースとした倫理観、近代では人権をベースとした倫理観を開発して社会の秩序形成と維持を図り、これがヒトの種の保存（人間社会の維持発展）に一定の効用を果たしてきた。しかし、科学技術の高度化と（農業革命、産業革命に次ぐとも言われる）情報革命とが進展し、DNA の操作による新しい生物や、ディープラーニングする人工知能が現れ、ヒト、人間の存在意義を問いかねない今日、近代の倫理観、すなわち、人権やら国民やら科学やらの「現代の神話」をベースとした倫理観だけでは、十分に私たち人間社会の秩序を維持し、これを発展させて、ヒトという種の保存を図ることが難しくなってきている。さらに、グローバル化は、世界共通の倫理観を求めているが、そのような倫理観の確立は全く容易ではない。[注3] 容易ではないが、新たな倫理観の構想に必要な原理、方向性について考えてみたい。

第一に、新たな倫理観はヒトという種の保存に有利な、平たく言えば人類が繁栄することに役立つものでなければならない。これはなぜ道徳が必要になるのかこれまで述べたところから当然だろう。

　ここで留意したいのは、それは単にヒトの数を維持する、増加させる観点ではなく、ヒトが人間らしく生きて繁栄するという観点でなければならないということだ。ここまでみてきたことから分かるように、肉体と離れた生命はなく、DNA に刻まれた「快い」感じ方はこの肉体を使って生存する過程で得られてきた。人間らしい生き方は、200万年のヒトとしての生き方と遠く離れたものであってはならない。ベッドの上で薬物による幸福感に満たされて一生を終えることは、「ヒトとして」の種の保存、繁栄を放棄している。映画の『マトリックス』に描かれた世界の人類の生には意味がない(注4)。

　なお、ヒトもこの地球上に誕生した生命体であり、他の生物と同じ地点から遺伝子のリレーを始めたのだから、その点では仲間である他の生物の犠牲の上に自らの種の保存を図らないようにしなければならない(注5)。

　第二に、新たな倫理観は、これまでヒトが育んできた生得の快い感じ方、DNA に刻まれた形質としての快い感じ方と適合するように構想されなければならない。本能に刻まれた感じ方と矛盾するものは受け入れられないだろう。

　キリスト教や儒教においては「黄金律」と呼ばれるものがある。「何事によらず自分にしてもらいたいと思うことを、あなた達もそのように人にしなさい」(注6)とか「其れ恕か。己の欲せざる所、人に施すこと勿れ」(注7)というが、これは共感に基づく同情心に由来する。十戒の「なんじ殺すなかれ」なども同じであるが、宗教や道徳や法律も、一から倫理観を発明して人々に信じさせようとしたわけではない。むしろ、その説くところが、人々の生得の倫理観と

マッチしたから広く受け入れられたと考えるべきだ。

　第三に、これが一番厄介なのであるが、新たな倫理観は、既存の道徳観と可能な限り調和するように構想されなければならない、ということがある。

　これは第一に述べたところと同じに見えるが同じではない。倫理的価値観は時代と社会に応じて異なっている。つまり道徳観は生物進化により設計されている部分と文化進化により設計されている部分とがあり、後者は生得ではないが、それぞれの人間の倫理観に極めて強い影響力を有している。現に生きている人間、現存する社会を前提に新たな倫理観を構想しようという時には無視できない要因である[注8]。

　わたしは「中庸」ということがポイントだと思う。過激な考え方は、一部に熱烈な信者を得ることができようが、世界を覆うメインストリームにはなり得ないだろう。安定的な種の保存にとっては、環境の急激な変化は大きなリスクだ。

　アリストテレスの考えをその没後に息子がまとめた『ニコマコス倫理学』によれば、倫理的な卓越性（徳）のポイントは中庸である。儒教においても朱子学の聖典「四書五経」の1つはそのタイトルも『中庸』だ[注9]。

　わたしが強調したいこと、またこの本を読むあなたに特に気をつけてほしいことは、人類の繁栄にとって合理的、効果的、効率的だとしても、その考え方が倫理的に「善い」とは限らないということである。ヒトとして進化してきた人類史の上にしか倫理的価値観は構想できない。人間はそれほどには合理的な存在ではなく、また、合理的ではない感じ方をする点に「人間らしさ」がある[注10]。

　さて、残念なことに、わたしはこの先の答え、新たな物語を持ち合わせていない。わたしに新しい物語を作る力はないが、これまで

に考察したところが、現代の神話を読み解き、落とし穴に落ちないための道しるべにはなるだろう。

（注1）農業革命までは、ヒトは本能の命ずるままに行動していれば無事平和な日々を送ることができたと言っているわけではない。農業革命以前から本能の掟を破る人間がいたことは間違いない。そう考える理由はいくつかある。

ひとつには、人間の感じ方には個人差があることだ。倫理的快さは、おいしさほどヒトにとって強固ではない感じ方であり個人差がある。だから善悪の判断にも個人差があるのは当然だ。

ふたつには、ヒトはタガを外しやすい生き物らしいということだ。ダメだと言われたことや、タブーに感じることにあえて挑戦する。これも進化の過程でヒトに生き延びた形質だろう。この形質は、ヒトが食べられるものを新たに発見したり、道具や火の使用を始めたり、アフリカから新世界に飛び出したりするのに役立っただろう。

3つめには、ひとつめと関連するが、倫理的な感じ方においても、他と大きく違う形質が現れることは有性生殖においては当然起きるということだ。いわば精神の突然変異。人殺しに快感を覚えるとか、他人を騙して快感を覚える性格の者も一定割合で生ずる。「サイコパス」は現代社会特有の病理ではない（これが遺伝する形質であると言っているのではない）。

種として共有している生得的倫理観を破る人間の存在や、こうした人間の反倫理的行為は、人々の集団生活、更には種の保存にとって脅威であるから、リーダーや集団による制裁の対象になっただろう。それはサル山のサル社会でも変わらない。だから、農業革命以前の人間社会が倫理的なユートピアだとは思わない（社会契約論を唱えたホッブズが言うような「万人の万人に対する闘争」社会では絶対になかったと思うが）。

（注2）スケリエー島では、漂泊するオデュッセウスのもとにアテーネー女神が王女ナウシカアーを導き、彼の帰国を援助させるが、その際王女は「私どもの国へ町へとお着きの上は、着る物はもとより、他の

どんな物にも不自由はおさせしませぬ、仕合せ薄い乞丐人（こつがいにん）が、人に出会って、当然求めるほどのものなら。」（ホメロス『オデュッセイアー上』岩波文庫、1971年、呉訳「第六書」）と述べている。もとより、旅人をいかに扱うべきかはどの社会にとっても悩ましい問題であったろう。旅人は他の地域の情報や、有益な知恵をもたらしてくれる一方で、他の地域に自分たちの内実を漏らし、侵略を誘うかもしれないから。

（注3）わたしは移動手段と通信手段の高度化によって世界が小さくなったことが、ヒトの倫理観に与える影響を極めて重視している。すでに述べたように、ヒトは少人数集団という社会生活を200万年送る中で「仲間意識」（つちか）を培い、これが人間に固有の倫理的価値観の根幹をなしている。集団の拡大に伴い、この仲間概念を、部族、民族、国民とすり替えることでその時々の物語（神話）は、社会の必要とヒトの道徳直感との折り合いをつけてきたが、グローバル化は仲間意識の解消を意味しかねず、少人数の集団社会で身内とそれ以外を区別することからスタートしたヒトの倫理観に、真っ向から対立する。このことについては第4章でも触れる。

（注4）『マトリックス』は1999年のアメリカの映画。世界は反乱を起こした機械文明に支配されており、人類は機械の動力源としてひとりずつカプセル内に閉じこめられて培養されている。しかしながら、カプセル内からコンピュータに接続されている人間は、コンピュータが作り出した仮想現実（主人公の場合は現実のアメリカ社会そのものである仮想現実）の中に生きており、真の自分の姿（カプセル内で培養されている自分自身）に気づかない。物語は、この事実を知り、機械文明に抵抗する人間たちの手によって、主人公が覚醒させられることにより展開する。

（注5）この点については究極的にはわたしは楽観的である。人類が滅亡してもいくばくかの生物は生き残るであろうから。とはいえ、人間によって絶滅する種は少なければ少ないほど良いし、第4章で述べるように、生物多様性の確保はヒトの種の保存にとって重要であると考えている。

（注6）『新約聖書　福音書』岩波文庫、1963年、塚本訳「マタイによる福音

書7章12節」。

(注7) 『論語』岩波文庫、1963年、金谷訳「巻第八衛霊公第十五　二十四」。恕は「思いやり」の心。孔子が弟子の曾子に「吾が道は一以てこれを貫く」と述べたところ、その意味を他の門人に問われた曾子の答えは「夫子の道は忠恕のみ」であった（巻第二里仁第四　一五）。仁義礼智信などと儒教の中心概念が説かれるが、わたしは正にそのこころは「忠恕（まごころとおもいやり）のみ」と思う。

(注8) 世界には地域ごとに異なる風習や文化がある（グローバル化で急速に失われつつある）が、そもそも文化はその地域の気候（冬が寒いとか雨期と乾期があるとか）、その土地の産出物（畑作に適しているとか魚が捕れるとか）、その地域の生産手段（技術の程度、識字率の高さなどに応じた方法）などを条件として、その地域社会にとって最も有効な種の保存方法として成立してきたと言える。その文化の一部として道徳が成立しているのだ。グローバル化によって狭くなった現在の世界で各地域の人々が必ずしも容易に分かり合えない理由の一端に、人々がその出自とする文化の違いがある。私が、現代の倫理的価値観を基準にして過去の人々の行為や行動規範を非難することは適当でないと考えるのも、倫理観が文化進化により設計される面が大きいことによる。16世紀のヨーロッパ「文明社会」に滅ぼされたからと言ってインカ帝国やマヤ文明の倫理観が劣っていたことにはならないし、そのヨーロッパ文明がその後2世紀にわたり黒人奴隷貿易を行ったことを今日の価値基準で「非人道的」と糾弾しても仕方がない。

(注9) 『論語』、『大学』、『中庸』、『孟子』を四書といい、『書経』、『詩経』、『礼記』、『易経』、『春秋』を五経という。五経あるいは六経は漢の時代から並び称されていたが、1000年以上のちの宋の時代に朱子（朱熹）が『礼記』から「大学」と「中庸」を取り出して、初学者が学ぶべき四書というカテゴリーを創設した。

(注10) 人間は必ずしも合理的な存在ではないことを知ってもらうために、わたしがよく出す問題がある。
コイントスをする。表と裏が出る確率はどちらも2分の1とする。表が出れば100万円もらえる。裏が出れば何ももらえない。あなたは

コイントスを選ばずに無条件で45万円もらうというオプションも与えられている。

コイントスを選んだ場合の期待値は50万円だから数学的合理性はコイントスを選ぶことだ。ところがわたしが職場や学校でこの問題を出すと8〜9割方の人間が無条件で45万円もらう方を選ぶ。多分、確実に利益を得る（例えば量が少なくなっても確実に食べられることを選択する）ことが生存にとって有利だからだと思う（それほど確信はない。ギャンブラーはより合理的に行動し、コイントスを選ぶと思う）。

ところで、次に、コイントスをして表が出れば何も取られないが、裏が出ると100万円取られることにする。あなたはコイントスを選ばずに無条件で45万円払うオプションも与えられている。この場合、数学的合理性は無条件で45万円払うことだ。ところがわたしの実験・経験では先ほどよりは少ないが、7〜8割方の人間がコイントスを選ぶ。ギャンブルで負けが込んでも抜けられない、一発逆転を狙いたいのは、人間に負けを確定させたくない本能があるからかもしれない。

いずれも多くの人が賛同する選択肢に数学的合理性がないことの表れだが、この矛盾が顕在化するのはこの2つの選択を一度に続けて行う場合だ。多くの人が選ぶパターンでいくと、コイントスは一回行い、表が出れば45万円もらい、裏が出れば（45万円無条件にもらってから裏が出て100万円取られるので）55万円取られることになる。数学的合理性のパターンでいくと、やはりコイントスは一回行い、表が出れば（表で100万円もらってから無条件に45万円取られるので）55万円もらい、裏が出れば45万円取られることになる。この2つのパターンを比較するとどうなるか。第1の選択は「表が出れば45万円もらい裏が出れば55万円取られる」であり、第2の選択は「表が出れば55万円もらい裏が出れば45万円取られる」である。第1の選択をするのは愚か者である。

次へのステップ

考える材料は揃（そろ）ったようだ。

太陽系にこの星が誕生したのが約46億年前、そしてその地球上に生命が誕生したのが約38億年前。多細胞生物は約9億〜10億年前に現れ、植物に続いて昆虫などの無脊椎（せきつい）動物が上陸し、脊椎動物が約4億年前に現れ、約2億3000万年前ころからの恐竜の時代を経て、鳥類、ほ乳類が分化し、今から約6000万年前、恐竜が絶滅したすこし後に、霊長類が姿を見せた。約2000万年前に生まれたヒト、チンパンジー、ゴリラの共通祖先となる大型猿が人類と類人猿とに分かれたのが約600万年前、約200万年前に直立歩行する我々の直接の祖先がこの星に誕生した。直立原人に続き、約40万〜50万年前にはネアンデルタール人などの旧人、約20万年前には現代の人類と生物的な違いの見られない新人が登場し、繰り返しアフリカから世界を目指して広がっていった。少なくとも過去10億年くらいの進化の過程は、地質学、考古学により裏付けられていて、細部はともかく、大枠では信頼してよい。

第2章の結論で述べたように、生命の本質とは「DNAの自己復元機能をベースとして、自己組織化機能、自己再構築機能を持ち、さらに、生殖による種の保存を行い、突然変異により獲得した形質を後代に伝える進化の可能性を有すること」である。

生命は、DNAによる自己複製機能をベースとして、バクテリアから始まったが、有性生殖を身に付けた生命は、一気に多様な形質を獲得し、その形質のうち、環境適応力の高いものが遺伝形質として子孫に受け継がれ、多くの「種」が誕生することになった。

地球上に誕生した多細胞生物は様々な「種」に分かれて、あるものは繁栄し、あるものは絶滅し、ということを繰り返しながら、なんとか今日まで生き延びてきた。私たちヒトもこうして生き延びた

多くの「種」の一つである。地球上の生命としてみた場合、ヒトとチンパンジーとの差はそれほど大きくない。むしろ両者はおどろくほど似ている。もっと似ていたネアンデルタール人は、現生人類によって（かどうかは議論があり得るが）滅ぼされてしまった。つい7万年前まではヒトは食物連鎖の頂点にはなかった。人間は万物の長として、魚や鳥や獣たちを支配すべき存在としてこの世に送り込まれたとは言えない。(注1)

　生きることの意味は、こうした文脈を離れて語ることはできない。私たちヒトは、有性生殖による方法で永遠の生を目指す存在として、この地球上の他の生命とともに「遺伝子のリレー」に出場しているチームである。「私」というものは「私は考える。それ故に私は有る」と宣言する大脳皮質抜きに考えられないが、この脳が「私」のすべてではない。私の肉体抜きに私はない。

　生命は、その身体（肉体）をもって、自己の保存を図り、種の保存に有利な形質を獲得しつつ生き延びてきた。ヒトの場合で言えば、頭で考えなくても生き延びることができるように、自己保存に必要な栄養があるものの摂取や、自己保存に有利な適切な温度や、種の保存に必要な性交渉を「快い」と感じる形質をDNAに刻んできた。その原理は他の動物と同じである。ヒトという種になる以前から保有している形質、あるいは自己保存・種の保存に不可欠な形質は強固であり個人差は小さいが、ヒトに根付いて間がない形質や自己保存・種の保存とのつながりがそれほど強くない形質は、同じヒト同士でも個人差が大きくなり得る。また、突然変異は（外見に現れるかどうかは別として）ヒトにおいてもそれほど稀な現象ではない。

　ヒトは、倫理的価値観においても固有で共通の「快い」という感じ方を生まれつき持っている。それが「種の保存」に有利な感じ方

であったから。まずはほ乳類として「幼き者への愛」、「喪失の悲しみ」を獲得し、200万年に及ぶ小集団での狩猟採集社会を通じて「仲間意識」を持ち、「公平」を大切に感じるようになり、共感の能力を介して他人の気持ちを理解しわが身に置き換える「同情」や他人への「援助」に喜びを感じるようになった。

言語革命以降は、倫理的価値観をDNAに刻み込む時間はなかったが、社会の大規模化、他の集団との関わりの増大に応じて、生存環境である社会の秩序を維持することが「種の保存」に不可欠の条件となった。そこで、人間集団は宗教・道徳・法律といった形で、新たな倫理観を共有する必要が生じた。まずは、「嘘をつかないこと」（誠実、正直、信義）が言語革命とともに集団に不可欠の道徳となり、農業革命後は「分相応」「勤労」「能力・成果主義とその果実の保全」が加わり、産業革命後は「効率性」や「時間厳守」も善いこととされるようになった。

新しい倫理観の構想においては、ヒトの「物語る」能力が大いに力を発揮した。古代においては宗教という形で、近代においては人権という形で。

ところで、21世紀に生きる私たちは、科学技術の高度化、情報革命の進展、グローバル化する世界を目の前にして、どうしたらよいのか分からなくなっている。世論は分断され、何が「正しいこと」なのか共通の理解が得られない。わたしは、「私たちはどうしたらよいのか」「何が正しいことなのか」についてみんなが話しあうためには、迂遠（遠回り）ではあるが、人間存在についての共通理解から出発するしかないと思う。ここまで述べてきたことは、そのための出発点の提示であり、新たな倫理観を構想するための原理として示したのが「ヒトという種の保存に有利であること」、「DNAに刻まれた倫理観に適合すること」、「既存の道徳観と可能な

限り調和すること」である。

　わたしなりに考えた人間存在についての理解が「正しいこと」であると思ってもらえるように説明してきたつもりであるが、これが真実である保証はない。一人ひとりが考えていくしかない。とはいえ、この三原則を前提とすれば、現代社会の課題はどのように把握できるのか、そして、私たちはこの世の中でどのように生きたらよいのか、考えていくことにしたい(注2)。

（注1）エジプト、メソポタミア、ギリシア、ローマ、ヨーロッパには家畜としての牛馬や犬猫はいたが、人間に似たサルはあまりいなかったのだろうか。日本のようにサルがふつうにいれば、イヌやトリも話ができて一緒に鬼退治に出かけるというような発想が生まれただろうか。

（注2）前に述べたように、デカルトは『方法序説』の出版に当たり慎重を期したし、すべての存在を疑うことから出発することの危険性を熟知していたから、「私は考える。それゆえに私は有る」との宣言の直後の段落で、疑うということは自分が完全ではないからであり、かつ、不完全な自分が（どこかに自分より完全なものがあると）完全なものを考えることができるというのは、そうした考えが「あらゆる完全性をそなえたあるもの、すなわち一語をもって言えば、神なる本性によって、私のうちに注入されたものである」からだと述べ（何となくイデア論と同じに思える）、さらには「それ故にかかる完全な存在者たる神は有る、あるいは生存するということは、少くとも幾何学のいかなる証明も確実でありうるとひとしく、それは確実であることをも私は発見したのである」と述べた（岩波文庫、落合訳「第四部」）。それでも彼は「無神論を広めるもの」とのレッテルを免れなかった。神は信じるものであって、証明を必要とするものではないから。

『方法序説』の約150年後に、カントは『純粋理性批判』で人間の認識能力をもってしては「世界に始まりがあるか」ということや、世界に始まりをもたらした「第一運動者」や「絶対的に必然な存在

者」があるかどうかを知ることはできないと述べたが、その一方で、『実践理性批判』(1788年) においては「最高善は、霊魂不死の前提のもとにのみ実践的に可能である」(岩波文庫、1959年、波多野・宮本訳「第一部第二篇第二章四」)、「最高善 (これは必然的に純粋理性の道徳的立法と結合された意志の対象である) の可能の必然的制約として神の存在を要請しなければならない」(同前第二章五) と述べて、人間が道徳的存在であるには神がなければならないとした。ルター派敬虔主義の家庭に育った彼にとって、神は信じるべきものだったからであろうか。しかし、そのカントですら、その6年後の1794年 (フランス革命のころ。わずか200年余り前のことだ!) にはその宗教論が有害だとの勅令が出されて宗教に関する発言を封じられたという。

わたしの考えでは、宗教も人権も、人間はこの世の中でどのような存在であり、善く生きるとはどういうことかを説明し、集団の仲間に理解させ、その社会の秩序を維持し、種の保存を図るための物語である。新たな倫理観の構想というのは、既存の物語の適用妥当性の限界を認識し、別の物語を考えることになる。したがって、次章で述べられるわたしの考えは、既存の物語にとって『不都合な真実』(2006年、アメリカ映画のタイトル。アル・ゴア元アメリカ合衆国副大統領が出演し、地球環境問題に背を向ける政府を批判した) が含まれるだろう。すでに述べたとおり、既存の道徳観との調和、そのための中庸を旨として論じていきたい (第三原理) と思うが、「神をも恐れぬ」とか「人権無視」との批判はあるだろう。

余録　自由について

カントの墓には「星輝く天は私の上に　道徳律は私の内に」と墓碑銘が刻まれている。『実践理性批判』の結びにある記述の引用である(注1)。

カントは、本当の道徳的行為は、経験から導かれるものではなく、場所や時代 (社会) を超えてあてはまるものでなければならな

い、と考えた。

　そして得られたカントの道徳律は「自分がそうしようとしている行動の原理となる考え方を、他のあらゆる人間が行動原理に採用したと仮定して、それが正しいこと、いいことだと思えるならば、そうせよ」というものだ[注2]。その考え方に基づいて世界中の人が行動してよい、と思える考え方に従うならば道徳的行為になるといっているわけだ。例えば、借金を返す当てはないけれども「必ず返すから金を貸してくれ」とウソをつくことを例にとると、世の中の人がみんなそのような考え方で行動すると、本当に困っているし金を返すつもりもある人にもお金を貸す人はいなくなってしまう。そのような世の中が正しい、良い世の中だとは到底思われないので、ウソをつくことは道徳的行為ではないということになる。

　また、カントは、意思が善であるかどうかが問題であり、それによって成し遂げられることがあるかどうか、好ましい結果が得られるかどうかは関係ないと述べている。外見上は人のためになる行為をしても、私利私欲を図るためにやろうとしているのでは「偽善」だが、「そうすると他人が助かるから」やるのもそれは条件付き行為であり、カントに言わせればどちらも道徳的行為ではない[注3]。

　さらにカントは「自分はこれをしないですませることもできるが、するべきだ」という損得抜きの義務感での振る舞いだけが、本当に道徳的な振る舞いであり、そのように行動できる時に人間は自由なのだと言っている。

　ところで、この自由というのはなかなか難しい問題だ。カントは定言命法をもって人間の自由を表明したが、人間には自由がある、というのはどういう意味だろうか。

　わたしは今ワープロを打っている。コーヒーを飲みたいと感じる。そこでわたしは自問する。作業が進まないからと言って書斎か

ら抜け出し、休憩するのは「逃げ」だろうか。いや、結果的に新たなインスピレーションが得られて作業が進むかもしれないから善い行為だ。いや、それは逃げの正当化だ……。そんな自問をすることが「時間の無駄」であることは間違いない。しかし、自分にはコーヒーを飲みに行くか行かないかの自由があるとは考える。どちらも選択できる。人間は自由な理性の持ち主だから。普通、「人間には自由がある」というのは、自分のこれからの行為に複数の選択肢があって、自分がそのいずれかを「主体的に」選ぶことができるという意味だ。「主体的に」とは「他からの強制や支配がない」ということだ。

しかし、他からの強制、支配のない「意志の自由」は本当にあるのか。わたしは「主体的に」作業の継続を選択したのか。

ワープロを打っていたわたしは、「コーヒーを飲みたくなる」という選択はしていない。のどが渇いた、疲れた、というのは身体が置かれた状態に体が反応して心に浮かんだ感じだ。わたしはコーヒーを飲みに行かずにこの先の文章をどうつなげようかと考えながらワープロを打ち続けているが、本当に私は作業継続を「主体的に」選択したのだろうか。この環境・状況では私はワープロを打ち続けるように「できている」のではなかろうか。わたしの生得の感じ方と、生まれてこの方の経験に由来する感じ方と、今私が置かれている環境・状況下ではわたしはワープロを打ち続ける宿命にあるのではなかろうか。百歩譲って、この環境・状況下で、わたしにはコーヒーを飲みに行く可能性とワープロを打ち続ける蓋然性があったとして、それは、私の生得の感じ方と、私の経験に由来する感じ方により形成された総合的な感じ方（「性向」とか「性格」）とこの環境・条件（行為の結果に対する私の予想を含む）の組み合わせが、私のこれからの行為を、たとえば「コーヒーを飲みに行く」対「作業を継続する」＝３：７というように規定していて、その確率で

ルーレットが回された結果、わたしは作業を続けているのであり、ルーレットを回したのはわたしではないしルーレットの比率（この場合３：７）を私は変えられない、ということではないのか。わたしの身体の主人であるわたしの脳は認めないとしても。

（ここでわたしはコーヒーを飲みに居間に行くことにした）

　コーヒーを飲みに居間に出たあの日、わたしはワープロの前に戻らなかった。インスピレーションが得られないことは始めから分かっていたのだ。

　話を戻そう。

　こうして考えてくると、人間は自由意志（他人に強制されない自らの意志）があると思い込んでいるが、自分の意志は自分の自由になっていないかもしれない。すべては生まれつきの自分と自分を取り巻く環境とサイコロの確率問題の積み重ねが、現在の私を作り、これからの私を決定づけているかもしれない。もちろん出目の確率が均等でないサイコロの結果が行為となるので、私の行動や将来が事前に決定づけられているわけではない。ポイントは、サイコロの出目の確率（さきほどの例では３：７の比率）をその都度自分が自由に決めてはいないのではないかということだ。

　この議論には今のところ決め手がないので打ち止めにするが、自由な意思による選択の可能性を基盤として、ある行為が道徳的であるかどうかを評価することができないとすると、それは直ちに、法律に反する行為（犯罪）をした人間を刑罰に処することの正当性をどこに求めるか、という議論に影響を及ぼすことは指摘しておきたい（注4）。

　（注１）「それを考えること屢々にしてかつ長ければ長いほど益々新たにし

てかつ増大してくる感嘆と崇敬とをもって心を充たすものが二つある。それは<ruby>わが上なる星の輝く空とわが内なる道徳的法則<rt>．．．．．．．．．．．．．．．．．．．．．．</rt></ruby>とである」（前掲波多野・宮本訳「第二部結論」）

(注２)「君の意志の格率が、常に同時に普遍的立法の原理として妥当しうるように行為せよ」（前掲波多野・宮本訳「第一部第一篇第一章第七節」）。格率は行動規範、行為規則。

(注３) カントによれば、注２に示した根本法則に合致する行為が我々に義務として妥当する行為であり、この無条件に「○○せよ」と絶対的に命じる「定言命法」に従う者だけが善い意志を実現する。これに対する用語は仮言命法で、「××ならば○○する」という条件付き命令であり、これによって道徳的かどうかを判断することは経験論に陥るというのがカントの考えである。注２に示した定言命法は行為する自分の置かれた状態を考慮しない。

(注４) 意志が自分の思うようにならないのであれば、道徳的行為を取らないからと言って責任を問えないのではないか、制裁を科せないのではないか、ということである。我が国の刑法は自由意志の存在を前提としており、「<ruby>心神喪失<rt>しんしんそうしつ</rt></ruby>者の行為は、罰しない。<ruby>心神耗弱<rt>しんしんこうじゃく</rt></ruby>者の行為は、その刑を減軽する。」としている（刑法第39条）が、そもそも犯罪者に自由意志がないなら、犯罪者はみな心神喪失者である。

思うに、結果として罪を犯すことが自由意志のない本人にとり不可避であったとしても、集団・社会の秩序維持のために刑罰が設定される以上、罪を犯した行為者は処罰されるべきである。ただし、この刑罰は、その社会における人間の自己保存、種の保存に有利なように定められていなければならないから、ここでも道徳の構想（法律の設計）の問題が生じる。

第4章　私たちはどのように生きるべきか

正義論の系譜　公共善〜社会契約〜功利主義〜

「力のない正義は無力であり、正義のない力は圧政的である」とはパスカル（1623－1662）の言葉だ[注1]。パスカルは確率論を創始した数学者で、パスカルの定理を発見した物理学者（気圧のヘクトパスカルの由来）でもある宗教哲学者だ。この言葉は「正義は議論の種になる。力は非常にはっきりしていて、議論無用である。そのために、人は正義に力を与えることができなかった」という一文を経て「このようにして人は、正しいものを強くできなかったので、強いものを正しいとしたのである」と続く。

　わたしはテレビっ子であった。幼稚園に入る前に『ウルトラマン』が放映され、『サンダーバード』、『宇宙少年ソラン』があり、『マグマ大使』があって、小学校3年生のときに『仮面ライダー』が爆発的に流行った。みんな正義のヒーローで、アニメの『マジンガーZ』の主題歌にあるように「正義と愛と友情」の「3つの心」が大切だと胸に刻み、今でもそう思っている。しかし正義の名の下にゴキブリのように「退治」される怪獣の事情は御構いなしというのも今から思うと正義に悖る気がする。

　だが、「正義」とは何か。これまで真・善・美と言い、道徳的価値観として「快い」感じ方を与えることが「善」であると見て考えてきたが、正義と善は同じではないのか。辞書で「正義」を引くと「正しいすじみち。人がふみ行うべき正しい道」（『広辞苑』）とあるが、善と「正しい」との関係を考えるべきなのか、「べき」の意味を考えるべきなのか。

正しいことは真であり善であると考えれば、「正しい人の道」を指す正義とは、道徳的価値観としての善と同じことになる。

　視点を変えて、正義という言葉がわたしに与える感じを考えてみる。これまで見てきた道徳的価値観には、愛、離別の悲哀、仲間意識、公平感、共感に基づく価値観、正直などがある。これらはいずれも善に通じる価値観だと思うが、正義には少し違う側面があるように感じられる。前章で「完全な」「快い」感じ方を与えなかったと思われる「優越感」の話をした。生存競争を生き抜き、自分に近いDNAを残すためには、他人よりも抜きん出て自己保存を図る必要がある。だから、他人よりも生存に有利な立場に立つことをヒトは快いと感じるが、この優越感や優越感を満たすための行為は、他人の快い感じや集団の利益を損なうことがあるので、ヒトは仲間意識や公平感、共感に基づく感情に訴えてその暴走を押さえ込んだ、という話だ。正義というのはこの他人の快い感じとの関係に通じるようだ。それゆえ、辞書では「べき」と表現され、西洋では天秤が正義を象徴するのだろう。つまり、他者との関係で相互の善の調和を図るということだ。これが私の感じ方に従った正義であるがどうだろう。

　他者との関係を基本とすると、善である倫理的価値観のうち公平感ということと共感から生まれる（同情心などの）価値観とが重要になる。他人の犠牲の上に自分だけ得をすることが正義に反することになる。また、他人が労働して得た財産を力で奪うことも正義に反する。そして、不正義に対して制裁を加えることが正義の回復ということになる。

　アリストテレスは「公共善」という概念をもって正義を位置づけた。アリストテレスにとって社会的動物である人はポリスの市民として卓越性を発揮することが最高善であったから、ポリスの市民と

して他者の善に配慮してポリスという集団の価値を高めることが正義とされた。

　この公共善を正義とする考え方は、ローマ時代のストア派においてはポリス内に限らないものとなった。公共の範囲は世界に広がり、広がった世界の公共の善を図ることが正義であった。

　このことはキリスト教が支配的思想となった中世ヨーロッパでも変わらなかった。ローマ教会の配下に神聖ローマ皇帝や諸侯の統治システムもあり、支配者の任務は人々が神の国に至る準備を落ち着いてできるようにすることであったから、支配者や人々が公共善を図ることは神の意思に適うことであり正義であった。

　この公共善を正義とする考え方を否定したのが社会契約の考え方である。新たな正義が必要となった背景には、徴兵や納税の負担が重くなって君主や領主の圧政への不満が高まったことと、その君主に権威を与えていた教会への信頼が低下してきたことがあると思われる。公共善を図ることは旧態依然とした体制の維持につながるから新たな考え方が必要とされた。

　社会契約論では、原始の社会、自然状態においては脅かされる所有権を保障するために人民が相互に契約して安定した社会を築くと説明する(注2)。国家を作り、法律を作り、違反には刑罰を加えるという契約だ。ホッブズ（1588－1679）、ロック（1632－1704）、ルソー（1712－1778）は、それぞれ自然状態をどうみるか、契約当初の構想とずれが生じた場合の社会の状態をどう評価するかなど違いはあるが、平等、自由、自己保存など人が生まれつき持っている自然権を着想し、契約に基づき成立する国家が制定する法が自然権を保障するという点は共通である。

　社会契約論においては、社会契約と（社会契約により作られた国家が制定した）法律を守ることが正義である。

これに対して、社会契約や自然権という「物語」を否定して、社会そのものの善さ、社会において意識しなくても生まれる個人の徳という観点から新たな正義を見出したのがヒューム（1711－1776）であり、その流れはベンサム（1748－1832）やジョン＝ステュワート＝ミル（1806－1873）の功利主義に連なる。功利主義というと聞こえが悪いが、個人の快楽（善）を増大し、苦痛（悪）を減少させることを善いこととし（功利性の原理）、この善い効用を社会全体に広げて個人の快楽の総体である社会全体の利益を増進することが正義であるとしたものだ。これは政策論、立法論としては「最大多数の最大幸福」という言葉で知られている。

　正義論を論じ始めるとキリがないが、最後に、功利主義的正義論を批判し、過去半世紀のアメリカの政治哲学に大きな影響を与えたロールズ（1921－2002）の正義論に触れておこう。ロールズは、道徳的な人格性を備えた人々がどのような社会契約を結ぶかを考える。この人々は合理的で自分の利益を最大にするという選択をする。ロールズによれば、合理的な人々は「マキシミンルール」を採用し、選択の結果生まれる最悪の状態が他の選択と比べてもっとも善いように選択するという(注3)。そして、当事者たちが対等な存在として、一人ひとりがみずからにとって最善のものを、合理的に選択できる状態を正義の状態としている。
　さて、どのような社会を社会契約として選択するか。ロールズが持ち出すのが「無知のベール」。新しい社会を構想するにあたって、その社会で自分がどのような身分なのか、どのような家庭に生まれつくのか、才能があるのか、どんな好みなのか、健康で長生きするのかなどはベールの向こうにあって事前に知ることができない（構想する社会がどのような社会になるかは事前に知ることができる）。
　ロールズの主張では、無知のベールとマキシミンルールの下で

は、合理的な人間は、もっとも恵まれない不利な状態に自分がなる可能性があると考え、そういう状態にある人物にとってもっとも好ましい効果がある社会を構想するという。功利主義に比べて平等と公平に重きが置かれることになる。ロールズの正義は「公正としての正義」と呼ばれる。

さて、どの正義論に賛成するかは皆さんにお任せするが、ロールズの正義論に対しても議論百出であるから、自分の正義論を打ちたてようと思う時は誰かのアイデアに飛びつかないように注意が必要だ[注4]。

では、第3章までで示した私たちの正義論？に沿って、現代社会を見ていこう。

（注1）『パンセ』中公文庫、1973年、前田・由木訳「第5章298」。

（注2）自然状態という構想は人間からスタートして当時の社会やあるべき社会を説明する方法としては優れていたが、人類史的には事実でなく、虚構である。また、社会契約論はキリスト教的な考え方を母体としているように思う。人民の契約を持ち出すのは、キリスト教における神との契約を人民同士に持ち込んだものだ。シナイ山で十戒として与えられた神とイスラエル（モーセ）との契約（旧約）や神の子キリストが最後の晩餐で明らかにした契約（新約）に呼応した着想ではないか。平等概念や権利概念も「神の前の平等」という言葉があるように、自然権の前提には神があり、他人が奪うことのできない自然権を生まれつき持っているのは神に与えられたものだからという発想がある。明治時代に人権概念が西洋から輸入された時には「天賦人権」という言葉が使われた。

（注3）3人でクジをする。原資は10万円。第1のクジは、勝てば10万円もらえる、2番目なら5万円もらえる、最下位は5万円取られる。第2のクジは、勝てば5万円、2位は3万円、3位は2万円もらえる。最悪が善い（＝よりマシ）のは第2のクジだ。

（注４）最大多数の最大幸福の原理では、貧乏人を切り捨てて、金持ちが
　　　　もっと金持ちになる方が効用を増す、ことが是認されると思えるか
　　　　もしれない。しかし事はそのように単純ではない。貧乏人が100万円
　　　　もらう時の幸福感は、億万長者が100万円もらう時の幸福感の比では
　　　　ない。幸福の測り方を正しく取れば、限られた資源を配分して最大
　　　　幸福を満たすのは公平な配分である場面が多いだろう。
　　　　逆に、ロールズの正義に従って最も不利な状態にある人間を引き上
　　　　げることが、かえって社会全体の幸福総量の増進を妨げる可能性も
　　　　ある。また、合理的な人間は自分が最も不利な状態に陥る確率の大
　　　　小も考慮に入れて社会を構想するからロールズの主張の前提が成り
　　　　立たないとの批判もある。

1. 社会問題の見方。持続可能な世界と私たち

「ヒトが200万年の進化の過程で獲得した形質では農業革命以降の、さらには産業革命以降の急激な変化に対応しきれないから道徳や法律が必要になった」と言うと、道徳や法律が悪いことのように聞こえるかもしれないが、そうではない。わたしの言いたいことは「狩猟採集社会に戻れ」とか「自然に帰れ」とかでは断じてない。世界中で悲惨な生を送り、苦しんでいる人たちは今もいるが、人類全体でみれば現在が人類史上最も恵まれた時代だとわたしは考えている。日本人について言えば、わたしは自分が歴史上最も幸せな世代に属していると断言する。

　他方、歴史が常に人類にとって良い方向に進むと考えているわけではないし、歴史自体に何かの目的や方向性があるとは信じていない。だから、今日の繁栄を維持していくためには、人々が旧来の物語を信じるだけではなく、共通の基盤に立って考え、話し合っていかなくてはならないというのがわたしの意見である。

⑴ 地球温暖化

「地球温暖化はフェイクニュースだ」という意見もあるし、気候変動の危険性を警告する科学者には政治的意図があるとして地球温暖化対策の国際的枠組みであるパリ協定（2015年）から離脱する国もある[注1]が、産業革命以降の石炭、石油、天然ガスといった化石燃料の使用により、大気中の二酸化炭素濃度が上昇し、その温室効果によって気温が上昇していることは科学的裏付けのある事実である。気温上昇は、熱波、少雨による森林火災・砂漠化を招くほか、南極大陸や氷河の氷が融け海水面が上昇して太平洋の島々を水没させるし、海水温の上昇は熱帯暴風による風水害を拡大する。

　急激な環境の変化はヒトの種の保存にとっても不都合だろう。だから、各国が協力して、気候変動がより穏やかになるように努めなくてはならない。再生可能エネルギーが望ましいが、気候変動防止の観点では原子力も否定されないだろう。

　なお、地球温暖化のこれまでの議論を見ていると、そこに政治的、経済的思惑が混じりこんでいたことは否定できない。パリ協定の前の国際的枠組みであった京都議定書（1997年）に規定された排出権取引（二酸化炭素排出量の上限に余裕のある国から排出量枠を買い取ることで自国の排出量上限の削減目標を達成したことにできる仕組み）の背後には欧米の排出権取引ブローカーがいた（後に取引市場もできた）し、国別割当量を決めるにも各国の利害が入り乱れていた。化石燃料を燃やすことは二酸化炭素排出にカウントするけれども、森林を破壊して薪にして燃やすのはカウントしないのはどうしてか。

　より長期の事実としては、恐竜がいた時代は、（映画のジュラシックパークのような風景であったかどうかは別として）今よりも気温はかなり高かった。現在は約5000万年前から始まった氷河時代にあり、氷期と少し温暖な間氷期を繰り返している。農業革命

の少し前までは氷期だった。海水面は今よりも100メートルほど低く、樺太経由でナウマンゾウが日本に大陸から渡って来ていたことは広く知られている。氷河時代が来た理由は、大陸移動説、海流の変化、隕石の衝突、火山の噴火などなど、何が本当か分からないが、少なくとも間氷期になってからの数千年で今と同じくらいにまで気温が上昇した理由は化石燃料を燃やしたからではない。

予想される最悪のシナリオでは2100年に気温が今より5度近く、海水面が1メートル以上上昇するというが、それでも地球上の生命も人類も生き延びるだろう。ヒトという種の保存にとって、今よりも有利ではないかもしれないが。

わたしは、気候変動を抑える取り組みに各国が力を合わせるべきだと考えるが、それは以上述べたような事実や事情をひっくるめた上で、なお、その方がリスクが少ないと思うからである。

そして、次の項目に示すように、ほかにも多くの重大な地球環境問題がある。

(2) 地球環境の保全と生物多様性の確保

私たち人類もこの地球の生命のリレーのひとつの走者に過ぎないことを考えれば、地球規模で見た生命環境の保全が、人類にとっての持続可能性よりも重大である。しかし、人類に「己を捨ててでも、地球上の他の生命を守る誇りを持て」と言ってもなかなか実現できることではないだろう。いずれにせよ、地球環境の保全は（どちらかと言えば軟な生命である）人類にとって、一層必要なことは相違ない。

地球温暖化の問題はある意味「人類にとっては」解決が必要な問題である。その一方で、オゾン層の回復は「地球生命にとっても」解決が必要な問題である。オゾン層は地上10〜50kmの成層圏に存在しているが、地球が植物の光合成により酸素の薄皮にくるまれる

ようになったころ発生し、酸素の増加とともに徐々に上層に移動していったと考えられている（オゾンは酸素原子３つで構成された不安定な分子。大気中の酸素分子は酸素原子２個で構成される安定的な分子である）。オゾン層は生物にとって有害な紫外線をカットして地表に届く量を減らす役割がある。地球上の生命が魚類、両生類と進化を遂げ、地上で生活するようになったのも、オゾン層によるUVカットのおかげとの説もある。だから、クーラーの触媒、消火器の消化剤などにフロン、ハロンというようなオゾン層破壊物質を使わないようにしてきたのは正しい。これによって、オゾン層の穴であるオゾンホールが無くなっていくかどうか、気をつけてみていく必要がある。

　近時、プラスチックごみ問題がクローズアップされている海洋汚染の問題も、生態系に重大な影響を及ぼすおそれがある。ペットボトル、ビニール袋などを飲み込んだイルカや魚が消化器官の故障を生じたり、漁網にひっかかったりするばかりでなく、ゴミが微細なマイクロプラスチックの形で海水に混ざりこみ、海洋生物の体内に蓄積される。その結果がどのようなものになるのか解明されていない。そうした魚を人類が摂取することの危険性も未知数だ。だからこそ、早期に手を打って、海洋分解性プラスチックへの代替などを進めていく必要がある。

　同様に、森林の伐採や地下水のくみ上げなどによる世界的な砂漠の拡大、生活排水や工業排水による河川、土壌、海洋の汚染、大気汚染による酸性雨の被害、さらには、熱帯雨林の伐採による酸素濃度の低下などは、私たち人類にとっても、この地球上の多くの生き物たちにとっても、安全に生存し続ける環境を甚だしく損なうものだから、なおざりにすべきではない。

　生物多様性を確保することは、「遺伝子のリレー」に参加してい

るチームの数を減らさないという点で極めて重要であるのに、その認識に欠ける人類は、多くの種を滅ぼしてきた。

　ようやく目覚めた人々は、1973年に作られ日本も1980年に参加した「絶滅のおそれのある野生動植物の種の国際取引に関する条約」（ワシントン条約）や、1992年に作られ日本を含む世界中のほとんどの国が参加している「生物多様性条約」に見られるように、世界的な取り組みを開始した。生物多様性条約は、その前文で「生物の多様性が有する内在的な価値並びに生物の多様性及びその構成要素が有する生態学上、遺伝上、社会上、経済上、科学上、教育上、文化上、レクリエーション上及び芸術上の価値を意識し、生物の多様性が進化及び生物圏における生命保持の機構の維持のため重要であることを意識し、生物の多様性の保全が人類の共通の関心事であることを確認し」と延々とこの条約を作る理由を述べているが、この中で「生物の多様性が進化及び生物圏における生命保持の機構の維持のため重要である」というのがわたしの主張と合致することはおわかりいただけるだろう。

　生物の多様性を確保することが必要なのは、人間は神によって全ての動物の頂点に立つことを約束されたからでもなければ、人類の利用可能な資源として色々な生物があることが役に立つからでもない。地球生命の遺伝子のリレーを妨げないことが私たちの存在意義につながっているから必要なのである。

⑶　持続可能な社会

　20世紀の終わり頃から「持続可能性」（サステイナビリティ；sustainability）とか「持続可能社会」とかいうことが国際的に強調されることが多くなった。最近は「持続可能な開発目標」を意味するSDGs（Sustainable Development Goals）が流行りだ(注2)。
「持続可能な開発」の元々の意味は、今の世代が資源を利用した

り、地球の環境を改変したりするときには、私たちの子孫達の将来世代が困ることのないようにしていこう、ということだ。地球環境を保全しつつ開発を行おうということで、このような方針を採用する社会を「持続可能な社会」と呼ぶことになる。

　持続可能性は、ヒトのためだけの持続可能性であってはならない。人類は、全ての生命のリレーの舞台であるこの地球を破壊することすらできる技術を手にしてしまった。だから、私たちには、この地球で全ての生命がそのいのちをつむぎ、つないでいくのを妨げないようにする責任がある。

　今の時代を生きる私たちは、私たちの子孫が（できれば快適な）生活を送ることができるように考えるだけではなく、多くの生命が繁栄することができるような環境、地球を引き継いでいかなければならない。

　蛇足ながら、例えばある区域の森林を伐採して切り拓くことはそこに住む生き物たちの行き場を奪うことはありうるが、それが問題なのではない。地球規模で見た場合の生命環境が保全される必要があるのだ。個別の開発と地球環境の保全は両立し得る。そのために知恵を出さないといけない。もっとも、地球と自然に対する畏敬の念を持ち、人類もこの地球に生まれた生命の流れの中で誕生し、生かされてきた存在であると自覚すれば、おのずと開発は自制的に、節度あるものになると思うのだが。

　そうは言っても、ヒトである私たちにとっては、「全ての生命」はともかく、「ヒトという種」の保存がどうしても必要だ。持続可能な社会を実現することは、今を生きる世代の幸せ、利便を最優先せずに、後の世代の人類の繁栄を考えることになるから、ヒトという種の保存の観点からは、全く正しいことである。

　ヒトの「種の保存」の観点からいくつかの「資源問題」を考えて

みよう。

　石油、石炭、天然ガスなどの化石燃料はいつか尽きてしまう可能性があると見られている。私たちの今日の文化生活水準を維持するのには人工エネルギーが不可欠であるから、代替エネルギーの開発は人類にとり急務である。原子力発電を否定するなら尚更太陽光発電、風力発電などの再生可能エネルギーの開発・普及が重要だ。「二酸化炭素削減のためにガソリン自動車から電気自動車へ」というのが、「ガソリンを燃やして走るのではなく天然ガスを燃やして発電した電気を使って走る」ことだけならばあまり意味があるとは思えない。

　希少金属に限らず、鉄、銅、ニッケルといった主要な鉱石も、ことによると石油より先に枯渇する。だから、これらについては、代替品の開発に努めるとともに、資源再利用（リサイクル）の割合を究極にまで高めなければならない。

　よく話題になるのは、水産資源であるマグロの漁獲量制限や捕鯨問題だ。アメリカやオーストラリアではよく、頭がよくてかわいらしい鯨を殺すのは許せない、という。オーストラリアの観光地では、ホエールウォッチングの対象となる鯨に名前も付けているそうだから、ずいぶんとかわいがっていることだろう。しかし、「鯨は賢くてかわいいから殺してはならない」というのはあまり論理的な物の考え方とは思わない。牛や羊も十分に賢いしかわいいだろう。どのような生命もむやみに殺してはならない。必要最小限の殺生しかしてはならない。絶滅しそうな種は保護しなくてはならない。

　できるかぎり生態を調査し、こうした生き物を水産資源として考えると同時に人間と同じ地球上の生命として考えて、マグロや鯨の種の保存が可能な範囲で、必要最小限の水産資源として捕獲が許されると理解すべきだ^(注3)。

　ヒトの「種の保存」はそれとして、わたしを含む日本人の多くにとっては、自分に近いDNA集団、日本列島に住んできた血縁集団を保存していくことが、やはり重要だ(注4)。

　何となれば、自己保存、そして、自己に近いDNAの保存を図ることが生命の本質から見ても大切だからである。ただし、DNAが遠い他の人々を犠牲にしてよいわけではない。

　この観点からは、我が国には課題が山積している。低い食料自給率をどう高めるのか、天然資源がない中でいかに外貨を獲得して石油、金属その他の資源や食料を調達するか、そのために国際競争力のある産業をどうやって維持・開発するか、そのための人材をどのように育成するかなど。中国や東南アジア諸国が急速に近代化している（中国には追い抜かれた）中で、日本人が「ひ弱」になっていることが心配である。「やさしくなれなかったら、生きている資格がない」けれども「しっかりしていなかったら、生きていられない」(注5)。

⑷　少子化問題

　日本列島に暮らす私たちの持続可能性が直面する最大の危機は「少子化」である。

　今から50年前1970年の日本の出生数は193万人だった。2020年は84万人だ。過疎地で自治体が消滅するとかいうが、日本人もこのままでは消滅してしまう。

　少子化の理由はいくつかある。

　第1の理由は、生産力の増大、余暇の充実、技術による新たな娯楽の出現などによって「快い」ことが増えてきたことだ。冬の農家は子作り以外に楽しみがないといわれた時代とは異なっている。また、人口増加を抑える避妊具の普及がこの点では裏目に出ている。これは日本だけではなく、先進国に共通する問題だ。

第２の理由は、急速な経済成長と社会福祉の充実により、老後の保障としての子どもは必要ないとの考え方が広がったことだ。子育てにはお金がかかるなどこれを経済的に評価する風潮を変える必要がある。困窮する高齢者や孤独死が社会問題となっていることが示すとおり、年老いたときに助けになる子どもがいないと不都合が多い。

　第３の理由は、家族やコミュニティや国家という集団の価値の否定、個人主義の広がりだ。個人の自由と権利が一番大切だとの「物語」が広く受け入れられた。日本独自の事情として、満洲事変から太平洋戦争までの15年戦争に敗れ辛酸を舐めた国民が国家社会主義、軍国主義に対する反動から家制度や隣組などの地域自治の価値にまで否定的になったこともある。

　日本列島に住み続けてきた私たちのDNAを保存していくためには、この問題についてみんなで考えていくしかない。子どもを産みやすい環境、子育て負担の軽減、高齢者に偏った社会保障の是正などはもちろん必要だが、わたしとしては、子育ての歓びを若い人たちにきちんと伝えること(注6)、子どもを産み育てることは自分の分身を通じて自分が永遠に生きることだという意識を広めることが大切だと思う。特に女性は妊娠適齢期があるので、高齢出産のリスクを回避し、年がいってから不妊治療を試みなくても良いように、若いうちに女性がこの問題を考え、選択する機会が適切に与えられるよう切に願う。

（注１）アメリカ合衆国は2019年11月４日国連に離脱を通告した。トランプ政権下で１年後に正式離脱したが、本文脱稿後選挙に勝利したバイデン大統領は、2021年１月20日、協定復帰に署名した。

（注２）2015年９月に国連総会で採択された「我々の世界を変革する：持続可能な開発のための2030アジェンダ」において17のグローバル目標

と169のターゲットが示された。

（注３）マグロや鯨の保護にばかり目が行くことで、これらに捕食される種が絶滅するのではかえって問題だ。海の食物連鎖にどのような変化が生じているのか注意深く観察すべきだろう。しかし、大量に食べ物を捨てるほど消費するこの日本社会に「必要最小限の」捕獲を主張する資格があるかどうかは、よく自省する必要がある。

（注４）子のない人はいるが、親のない人はいない。親は誰も２人ある。祖父母は４人いる。曾祖父母は８人いる（親がいとこ同士なら曾祖父母は６人になるが）。祖先に血縁関係にある者同士の婚姻がない場合を想定すると、一代さかのぼるごとに祖先の数は２倍になる。室町幕府の第３代将軍足利義満が南北朝を合一して（1392年）から今日まで625年以上経っている。かりに、25歳で子どもができるとすると、これまで（625÷25＝25）24世代経たことになる。24世代前の親の数を計算すると、２を24回かける、２の24乗で1678万人になる。室町時代の日本の人口は、1000万〜1300万人くらいと見られているから、室町時代が始まったころの自分の先祖の数は、当時の日本の人口を超えることになってしまう。このことから明らかなように、人の移動が少なかった江戸時代末ごろに同じ地域に住んでいた人たちには、濃い薄いの程度の差はあるとしても、多くの場合、血縁関係があると考えられる。だから、同じ出身地の郷土の人々の遺伝子には共通性がある（秋田県には美人が多いとか、地域ごとに身体的特性に共通点が見られる）。外国人と比べれば、日本列島に比較的孤立して幾世代暮らしてきた日本人には遺伝子の共通性がかなりあるはずだ。

（注５）If I wasn't hard, I wouldn't be alive. If I couldn't ever be gentle, I wouldn't deserve to be alive. チャンドラー『プレイバック』ハヤカワ・ミステリ文庫、1977年、清水訳。

（注６）自分の経験に照らすと、子育ては、子どもの成長を感じられる素晴らしい体験であるだけではなく、みずからの人生を振り返る絶好の機会だ。子どもが学校に入ると自分が学校に入った時の出来事を思い出したりその時の親や周囲のことを考えたりする。子育ては人生を追体験することでもある。

2．既存の道徳観との調和。共通物語づくり

　日本で「世界三大宗教」といえばキリスト教、イスラーム教、仏教である。ただし、信者数は仏教よりヒンドゥ教の方が多い。有名大学を出た若者に「キリスト教、イスラーム教、ユダヤ教の共通点は何ですか」と尋ねても答えの来ないことが多い(注1)。日本人は宗教に対する関心が薄いから、外国の人に「私は無神論者です」などと答えて危険人物と見られたりする(注2)。

　キリスト教、イスラーム教、ユダヤ教の特徴は「一神教」と言われることが多い。ギリシアでも、ローマでも、インドでも、中国でも、この日本でも、神話に出てくる神様は大勢いた。ところで、キリストは愛を唱え、キリスト教の使徒パウロ（？－60以後）は「愛は寛容であり、愛は親切です。また人をねたみません。愛は自慢せず、高慢になりません」と述べている(注3)のに、わたしが「一神教には『不寛容』という特徴がある」と言うと驚かれるかもしれない。一神教は「世界には創造主である神のほかに神はいない」という宗教ではない。シナイ山でモーセに十戒を与えた神は「わたしのほかに君は他の神々を持ってはならない」と言い、自らを「妬む神」と述べているし(注4)、シナイ山からなかなか帰ってこないモーセを待ちかねたイスラエルの民が金の子牛を自分たちの神々として犠牲をささげたことに怒って「わが怒りが彼らに向かって燃え、彼らを滅ぼさせよ」と言った(注5)。だから他の神々が存在しないのではなく、他の神を信じるなと命じているのである。多神教の社会からするとこの神がひとり増えても大したことはない（日本には八百万の神がいる）が、「一神教」は他の神を信じることは認めない。基本は「不寛容」である。だから、多神教の社会の神々はその社会に一神教が入ってくると駆逐されてしまう。ユダヤ教とキリスト教とイスラーム教は、あるいは、キリスト教における近世

のカトリックとプロテスタントは、この「一つの神」をめぐる本家争いであるからその争いは熾烈を極める。異端審問も十字軍も宗教戦争もユダヤ人虐殺もそこから起きたのだろう。近代西洋において「寛容」が説かれたのも「内心の自由」が絶対的自由権として確立したのも、カトリックとプロテスタントとの激しい対立を棚上げしないと国も社会も立ち行かなかったからだ。

　宗教がかつてはこの世界を説明する支配的な「物語」だったのだ。そして、今も、この物語を人生の基礎としている人たちが大勢いる。

　ヨーロッパにおいてルネサンスが花開いた後も、キリスト教の軛（くびき）から人々は逃れられなかった。ガリレイもデカルトもカントも。ニーチェ（1844－1900）は、キリスト教を批判して、自分たち虐（しいた）げられた者は最後の審判の日に永遠の命を与えられるとし、弱き者を善と呼ぶキリスト教は「ルサンチマン」（強者への恨みつらみ）であるとした。そして、人間は力強く積極的に生を求めなければならないと訴えた。「神は死んだ」と言ったニーチェの言葉がキリスト教文明として栄えてきたヨーロッパに与えた衝撃の強烈さを、日本人が理解するのは難しい。

　ヨーロッパの世界と精神を支配したキリスト教が「物語＝虚構」であると言っても現代日本の多くの人は違和感を持たないだろう。

　しかしわたしが「自由とか人権とかいう考えは物語であって虚構です」と言うと相当な批判を覚悟しないといけない。「日本国憲法をないがしろにする反動」（！）のレッテルを貼られるおそれがある。中世ヨーロッパで神を虚構だと言えば宗教裁判や魔女狩りの餌食（じき）にされたのと同じだ。わたしは憲法が保障する自由や権利を認めないと言っているのではない。目には見えない自由や人権は、国家が強制力をもって保障しているからこそ、その侵害があれば警察が

出動したり、裁判で争えたりするのだ。だから、国家や権力を抜きにして自由や人権は保障されない。自由や人権は物語だが、この国は日本国憲法という形でこの物語を採用しているということだ。でもそう説明しても、人権の「信徒」の人たちは納得しないかもしれない。「人はみな平等であり、誰も奪うことができない自由と人権を持っている、日本国憲法はそのことを実定法として追認しているのである」という人権の物語を信奉している人は少なくない。人権の信徒からすると、基本的人権を虚構扱いすることは許されない。

「一神教」が各宗教や宗派に分かれるように、この人権の物語の下にある人々も一枚岩ではない。平等に重きを置くグループと自由に重きを置くグループとに分かれて政治的に対立したりする。前者は大きな政府を求め、後者は小さい政府を求めることが多い。前者は政府が国民生活や国民の財産に介入することを認める(注6)。また、社会保障を充実して国民の実質的平等を図ろうとする。しかし、実際の政治の世界を見ていると、この理屈通りでもない。「税金は安く、政府の権限は小さくして、国民の自由を最大限確保し、他方でセイフティネットは充実して、国民に文化的な生活と安心を保証する」というような政治スローガンがめずらしくない。

　宗教や人権の「物語」はとても強力で、信じている人を理屈で翻意させることは至難だ。だから、宗教や人権では解決できない問題に立ち向かうために、これからの時代に適応した新しい倫理観を確立する必要はあるものの、この新しい倫理観は既存の道徳観と可能な限り調和するように構想されなければならないという第三原理（第3章4）が導かれるのである。

　そのために、現代社会で広く受け入れられているもうひとつの「物語」である科学の力を借りながら、倫理観をめぐる新たな共通物語を構想しようというのだ。

　これは、容易なことではないが不可能ではないと思う。

　そう思う第一の理由は、第一原理（新たな倫理観はヒトという種の保全に有利なものであること）も第二原理（ヒトのDNAに刻まれた「快い」感じ方と適合すること）も、多くの宗教や人権思想と必ずしも矛盾しないと考えるからである。

　第二の理由は、人は複数の物語を信じることができる、宗教の物語を信じている人も、その多くは人権の物語を同時に受け入れていると考えるからである[注7]。

　ところで、既存の道徳観の中で取り扱いが困難な問題は、「民族自決」、「人種差別撤廃」、「グローバル社会」など「仲間意識」と関係するテーマだ。

　ヒトが進化の過程で獲得した生得の倫理的価値観のうち「仲間を大切にする気持ち」、「仲間内での公平に重きを置く感覚」、「仲間内での助け合い」は、200万年かけて小集団狩猟採集社会を営んできたヒトに固有でかつ強力な価値観だ。この「仲間意識」に反する道徳は上手くいかない。だからわたしは、新たな倫理観を構想する上で第二原理（ヒトのDNAに刻まれた「快い」感じ方と適合すること）を掲げた。

　この仲間の道徳は、仲間の外に対しては発揮されない。敵対的になるか融和的になるかは集団の置かれた状況によるので、生得的というよりは文化的に決まる問題だ。原始社会においては人口は少なかったし自分の足以外に移動手段もなかったから、他の集団のメンバーと出会うことはほとんどなかったが、目の前の人間が仲間か仲間でないかは即座に見わけることが生き延びる上で大切であった。それは、農業革命後、集団が大きくなってすべての仲間を熟知していないようになるとより深刻な課題となっただろう。お互い腹を割って話し合って、同じ考え方をするものを仲間にするという余

裕はない（あっという間に殺されるかもしれない）から外見が重要だ。仲間であることは、文身の文様や衣類の形や羽根飾りで区別する。戦闘行為では合い言葉も使われるが、ヒトの直感は見た目で養われてきた。「人を見た目で判断してはいけない」という言葉自体、ヒトはヒトを外見で判断するように「できている」ことの裏返しだ。サッカーでも野球でもラグビーでもチーム対抗スポーツではユニフォームを着る。ユニフォームという「見た目」は仲間意識を強めるのにも役立つから、軍隊や学校は制服を採用する。

　仲間か仲間でないかで区別することは社会的動物であるヒトの本質にかかわる問題だ。

　私が生まれた1960年代はアフリカを中心に植民地が次々に独立して、帝国主義の残滓が拭い去られようとしていた（いまだになくなってはいないが）。第一次世界大戦後、主として東欧の諸民族を対象に、各民族が自分の意志でその帰属や政治体制を決定すべきとの主張から始まった「民族自決」の考え方がアジア・アフリカにも適用されるようになった。今日この物語はかなり広く受け入れられている。この考え方が仲間の概念と親和的であることはわかるだろう。

　しかし、黒人奴隷貿易で多くの黒人が連れてこられたアメリカ、大英帝国下でインド兵を受け入れてきたイギリス、第二次大戦後トルコや旧植民地から労働力を呼び寄せた西欧は、民族・人種の混在が常態化し、近年、移民の受け入れの是非や、国内の人種差別問題をめぐって社会が大いに揺れている。

　現在優勢であるのは、自由と平等を高らかに唱える人権の物語に主導された政策、すなわち、「移住希望があるというのは自分たちの文化がすぐれているとの証明でありそれに憧れてやってくる移民は受け入れるべき」、「移動してきたいという自由は尊重されるべ

き」、「肌の色や人種で人を差別することは平等原則に反して許されない」というものである。しかし、これらがいかなる状況でも「正しい」かどうかはわからない。国内に多くの民族や人種がいる中で「民族自決」を認めれば、国家は崩壊して、人権の物語はその足場を失うだろう。そもそもヒトは「仲間」とそれ以外とを区別するように「できている」ので「ヘイトスピーチは重大な人権侵害だ」と叫んでみてもそれは人々の本能になかなかうまく浸透しない。わたしは自分が人種差別主義者でないことは強調したいが、だからといって、同じ縄張りの中で外見が異なる人種同士が本当に「仲間」として過ごしてお互い快適でいられるかと聞かれれば自信がない。これまで同じ神を信じることや、同じ言葉を話すことや、同じ文化的伝統を持つことや、国民国家の理念などで、人類は仲間・集団の拡大に努めてきたが、そう擬制された仲間や集団に属する人々が見た目でいくつかのグループに分かれる場合、その異なるグループの人々を混在させてヒトが居心地よく感じるかどうか。文化的な啓蒙活動によりこの壁を乗り越えられるとよいが、それが難しければ、民族自決を否定し、同じ民族同士や人種同士で集まる仲間づくりを禁止でもしないとこの問題はなくならないかもしれない。

　わたしの考えでは、現状においては、外国からの移民にも国民と同じ法律上の立場（権利や社会保障。可能ならば国籍）を与えて、移民は先住国民の文化を尊重する代わりに、たとえば、チャイナタウンのような形での集団居住と移民元の文化の保持が認められる、というのが人々の生得の感じ方に適合すると思う。反進歩的との批判は甘んじるが、人種差別反対と叫ぶ「政治的正しさ」に多くの人がついていけないから、欧米ではいわゆる「極右政党」が台頭したり、世論が分断されたりしている現実がある。なお、日本人は移民に関してはわたしの先ほどの考え方よりさらにネガティヴであり、単純労働者として受け入れはするが、良き隣人として日本人と同じ

法的保障を与える意欲もなければ、この単純労働者受け入れの先に現在の欧米のような状況が来ることへの覚悟もないように思うがどうだろうか。

　政治的立場は別として、移民であれ、労働者であれ、難民であれ、外国からの人々の受け入れを主張する前に、国民への正しい問題提起を行い、国民の合意を形成する努力が必要だ。

　とは言え、人口の爆発的増大と飛躍的な交通手段の発達、インターネットの普及など通信網の拡大、世界規模での分業生産体制の確立によって、世界は本当に「小さく」なってしまった。「他部族」や「異民族」と接触しないで暮らしていくことは難しくなった。小さなコミュニティを居心地よく感じるようにできている私たちにとって、グローバルな社会はそれ自体がストレスの原因である。後戻りはできないし、外見が違う人を同じ仲間だと思えない本能はどうしようもない。この問題について、世界の潮流とは離れてしまうかもしれないが、わたしは、無理に「政治的に正しい人」であることを求めない「正しさ」が必要だと思う。日本人的な本音と建前の使い分けが必要だと思う。少し説明が必要だろう。

　学生の頃、「日本人は本音と建前を使い分けるが、これは道徳的に正しいことではない」という趣旨の話を聞いた。（進歩的な）欧米ではそのような表裏ある生き方は不誠実、反道徳的とされると聞いて、なるほどと思った。この認識が変わったのは、1992年のアメリカ出張の際、休日に自由の女神のそばを遊覧するフェリーに乗った時だ。デッキに若い黒人男性と白人女性のアベック（死語か？）がいた。わたしは単に「かっこいいなぁ」と眺めていたが、しばらくして周囲の観光客（アメリカ人と思われた）の視線が白人であれ、黒人であれ冷たいものであると感じた。その後も色々と観察する中で、人種的偏見はいまだに根深いものがあると知った。ま

た、アメリカ社会にも建前と本音はあるが、その建前は「本音と建前は異なってはいけない」というものだと思い至った。こう考えると説明がつくことが多いのだが、同時に、この建前は人々に解き放ちがたいストレスをもたらすことになる。「王さまの耳はロバの耳」と森の中で叫びたくなること自体が恥ずべき事になるから。

　だから、わたしは、風貌が異なる民族や人種の間で相手を仲間と感じられないことは仕方がないとお互い認め合った上で、お互いがグローバル化した世界で種の保全を図っていくために、相手に「共感」して、相手のことを尊重するようにすることが善いと思う。

　同じ理屈は、風貌が似ていても、歴史的に生きてきた環境の違いから文化を異にする部族・民族間においても妥当するだろう。だから、私は他者の尊重に欠けるヘイトスピーチには反対だが、「ヘイトスピーチをする人間の神経を疑う」という言い方は、人々の分断を招くだけで得策ではないと思う。

（注１）信仰の対象である神が同じである。
　　　　ユダヤ教の聖典は旧約聖書（という言い方はキリスト教のものだが）だ。旧約聖書が示すところでは、神は６日で世界を作り、神の形に似せて人間を作った。最初に作られたアダムとイヴの話、その子どもで弟アベルを殺した兄カインの話、ノアの箱船の話などが創世記に載っている。ユダヤ人の祖で信心深いアブラハムに神は啓示を与え、アブラハムを祝福し、カナン（パレスチナ）の地を彼とその子孫に与えることを約束する。
　　　　キリスト教の聖典としては、旧約聖書に加えて、新約聖書がある。イエス・キリストの言動や弟子達の行動、初期のキリスト教伝道者達の手紙などを収めている。ユダヤ教の神は厳しい父親、キリスト教の神は愛に満ちた母親に擬せられることがあるが、同じ神である。さらに、７世紀ムハンマド（マホメット）が創始したイスラーム教ではムハンマドが天使ガブリエルから聞いた神の指令を弟子達がまとめたクルアーン（コーラン）が聖典であるが、聖書の一部も

聖典とされている。神は「アラー」と呼ばれ、ユダヤ教の「ヤハウェ（エホバ）」と呼び名は違っているが、旧約聖書でこの世界を作ったとされるヤハウェと同じ神である。イスラーム教では、マホメットは、モーセやキリスト同様、預言者（神の言葉を伝える者）であり、しかも、最後の預言者であるとしている（キリスト教ではイエス・キリストは神の子とされている。ユダヤ教徒にとってキリストは救世主でも預言者でもない）。

（注2）外国の人に問われたら「信仰について尋ねるべきではありません」と言うか「仏教徒です」とか「キリスト教です」と答えるのが無難である。

（注3）「コリント人への手紙」13章4節

（注4）「出エジプト記」第20章。

（注5）「出エジプト記」第32章。神はモーセに宥（なだ）められて思い直した。

（注6）たとえば黒人の雇用や女性の登用を強制するなど社会的弱者に有利な制度を採用するアファーマティヴ・アクションや裕福な人の財産を税で取り立てて貧しい人に譲り渡す所得再分配。

（注7）折り合いをつけられない人たちもいる。「原理主義者」と呼ばれる人たち。

3．21世紀の課題。情報革命、AI時代を生き延びろ

　21世紀も20年が過ぎた。21世紀に生きる私たちは、科学技術の高度化、情報革命の進展、グローバル化する世界を前にして、何が「正しい」ことなのか共通の理解を得るのが困難になってきている。わたしの目標は、この問題について従来の物語の教義に縛（しば）られずに「自分の頭で考える」ことをしてもらいたい、そのことについて話し合うための共通の土俵（新たな倫理的価値観を構想するための原理）を提示してみたいということにあった。

　ここでは、私が考える21世紀の課題のうち、「情報革命」と「AI時代」について論じてみたい。

　2001年9月11日午後10時、職場の私たちはテレビにくぎ付けになっていた（当時の私の職場は月平均残業時間が100時間を超えていたからかなりの者がオフィスにいた）。ニューヨークの貿易センタービルに旅客機が突き刺さり燃えていた。そして、（テレビの画面を通してであるが）私たちの目の前で、もう1機がツインタワーのもう一棟に突撃し、二つのビルは約1時間後、ほぼ同時に崩れ去った。事件は、アフガニスタンのターリバーン政権の保護下にあるイスラーム急進派組織アル＝カーイダの指導者ビン＝ラーディンの主導によるものとされ、アメリカは「対テロ戦争」を宣言しアフガニスタンを攻撃した。ビン＝ラーディンは10年後に潜伏先のパキスタンでアメリカ軍によって殺害されたとされる。

　アル＝カーイダはもともとソ連のアフガニスタン侵攻に抵抗して戦った聖戦士を支援する組織であったが、1991年の湾岸戦争（イラクがクウェートに侵攻し、米英仏等の多国籍軍がイラクを撃退した）後は反米姿勢を強めた。わたしは、アラブの若者たちがテロ組織に次々と勧誘されるようになった背景には「情報革命」（情報の大量高速処理技術とインターネットの普及）による認識のグローバル化があったと思う。

　イスラーム教は異教徒に対する聖戦（ジハード）を通じて、かつて広大な帝国を築いたが、異教徒に対して特別に残虐な宗教ではない。聖典クルアーン（コーラン）では他の一神教徒も税金を納めればその信仰は保護される。実際の状況は時と場所により異なっていたが。

　イスラーム教自体は、中東の人たちがその気候において健康に平和に暮らしていくための智恵を内蔵していて、ある意味「合理的」な体系だ。しかし、イスラーム法であれ、ユダヤの律法であれ、1000年以上昔の社会と文化を背景に人々の生活様式や人的関係を規律している規則は、当然には今日の社会に当てはまらないので、

法学者による解釈が必要だ。聖典の文言に厳密に従って生活することは困難だが、敬虔なイスラーム教徒の人たちは物質的にはさほど豊かでなくとも、教えに忠実に生きてきた。

　しかし、インターネットの普及（1995年にその名も windows 95 OS がマイクロソフト社からリリースされた）によって多くの情報をパソコン一つで手に入れることができるようになったアラブの若者たちが、西側先進国の電気製品、ファッション、街並みなどカラフルな文化に心が浮き立ち憧れるようになるのも道理である。では自分たちも同じような生活文化を楽しむことができるようになるかと言えば、現実は厳しい。その満たされない心にイスラーム原理主義者が忍び寄って囁く。「西側諸国の連中は我々の天然資源を搾取し、イスラーム教徒を踏み台にして、栄華を享受している。彼らはインターネットを通じ我々イスラーム教徒を堕落させ、イスラーム社会を弱体化させようとしている」。そうやって吹き込めば、純真な若者たちを「聖戦」に立ち上がらせることは難しくはない。この手法をさらに精巧にした ISIL（アイシル。イラクとレヴァント地域のイスラーム国）は、一時イラク北部やシリア東部を実効支配するまで強力になった。

　インターネットは情報を得るための非常に便利なツールであるが、イスラーム過激派が活用したように、特定の情報を拡散し、その特定の情報を使って「仲間」を獲得する（言わば「洗脳」する）ことにも使える。21世紀に入り SNS が広く使われるようになったが、SNS の危ういところは、「サイバー空間」において同じ考え方の者同士の「仲間」が集うことでその主張の「正しさ」を確かめ合うとともに、異なる主張に「偽」の烙印を押し、相互理解のための骨の折れる対話を拒否する傾向をもたらすことだ。そしてサイバー空間の匿名性がこれに拍車をかける。

　この傾向は、現実世界で共に種の保存を図るべき集団（今日の世界で言えばまずは国民国家の集団）の構成員（国民）の分断を招きかねない。DNA の保存にとって不利な状況になりかねない。世界規模で分断が起きることは、第二、第三のアル＝カーイダや ISIL を誕生させ、やはり人類の存続にとっての危機だ。それなのに、この情報革命の「負の側面」を政治的立場の強化に使おうとする既存国家があったり、政治家がいたりするとすれば危険なことであり、私たちは十分に注意しなければならない。

　これに対する私の処方箋に、特別なものはない。

　その第一は、自分と異なる主張の人たちと話し合うことである。異なる意見に対して声高に罵声を浴びせかけるのではなく、相手の声に耳を貸して話し合う姿勢を持つことである。そのためには、普段から現実世界での面倒くさい人間づきあいを避けてはならない。ネットに逃げてはならない。人はみな同じように幸せを求めておりお互いに幸せになる方法はあると信じることだ。集団として進化した社会的動物であり、共感の心を持つヒトにはそれができるはずだ。

　第二は、インターネットの匿名性の排除である。現実世界でお互いの顔を見て集団・社会を形成してきたヒトは、農業革命以後、人工的に道徳観念を発達させてきたが、この人工的道徳を守らせたのは、言葉は悪いが「相互監視」であった。日本の社会も同様で、江戸時代には五人組という隣保制度が村や町に設けられたし、その裏を返した「旅の恥は掻き捨て」という言葉もある。現代でも東京では犯罪防止のために歌舞伎の隈取りのある両目をデザインしたステッカーが街頭に張り出され、「誰か・見てるぞ！」と書いてある(注1)。

　関連で最近よく耳にする「フェイクニュース」について若干触れておきたい。「政治的に有力な地位にある者が事実に関して十分な

裏付けもなく、あるいは意図的に事実でない情報を発信し、流布させようとしている」という意味で、情報操作という文脈で用いられている。しかし、この言葉が発信者を「道徳的に」非難するために用いられるなら意味がないと思う。

　ジャーナリストの方からは反発があるだろうが、偽情報は今に始まったことではない。ことわざに「嘘も百回言えば本当になる」というのは真理を突いている。真実かどうか本当のところはわからないことは普通にある。また、出来事に関しては真か偽かは重要でないことが多い。なにしろヒトは「物語る」生き物なのだ。つじつま合わせが本性であり、つじつまを合わせる材料は真実でなくともよい。要は、いかに大勢に真実だと思わせられるかが大切なのである。「大化の改新」というが「大化」の元号が本当にあったのか。織田信長が桶狭間の合戦の前でも本能寺の変の最中でもよいが「敦盛」[注2]を舞ったのを誰が見たのか。アメリカ合衆国政府にとって真珠湾攻撃は本当に不意打ちだったのか……。多くの人が事実だと思うことの積み重ねが歴史である。天動説を唱えたガリレイはとんでもない嘘つきとみなされた。

　だから、大切なことは、「フェイクだ」というレッテル貼りではなく対話をすること、または、自分たちの信じる事実を多くの人が信じるように証拠を挙げつつ訴えることである。インターネットやSNSの普及で、このことが益々の課題となっているのは間違いない。

　AI（Artificial Intelligence 人工知能）の活用が進んできた。

　ある程度のパターンで対応できるマニュアル的な仕事、例えば窓口やコールセンターでの照会業務や相談対応はコンピュータが得意とする情報処理にうってつけの仕事である。そこにディープラーニング（深層学習）が加わって、コンピュータの能力は飛躍的に高

まっている。チェスや囲碁では人間は全く勝てなくなった。ディープラーニングによって創造的な囲碁の手筋も発見されていることなどは、この本の「はじめに」で述べたので繰り返さない。

このような状況で、人類史において、コンピュータが自らを再構築するようになり、人間の手を借りないで進化の道を歩み始める技術的特異点（シンギュラリティー）が訪れるという人もいる。個人的にはそう簡単に機械文明がこの世界を支配する『ターミネーター』(注3)のような世界は来ないと思うが、産業革命よりこのかた、機械には不得手で人間にしかできないとされてきた多くの「知的作業」はAIによって代替されるだろう。通常のホワイトカラーの仕事はもちろん、公認会計士、医師、建築設計士など才能ある人々の足元も揺らぐだろうし、小説家や画家にもコンピュータのライバルが現れるだろう。

しかし、そのこと自体は生産性の向上であり、人と機械との分業の問題だからこれまでの「物語」でも乗り越えられると思う。他方、AIが私たちの倫理観に関わりを持つようになれば別次元の問題が生まれる。

わたしは最近「自動運転」に関わる仕事をした。自動運転では、アメリカや中国が一歩先に進んでいる。日本やヨーロッパと比べて、国土が広くて実験に適した道路がかなりあるために交通事故をあまり気にしないで実験できることも一因だ。日本の年間交通事故死者数は「交通戦争」と言われた1970年には1万6千人以上であったのが半世紀で5分の1になったが、ヒューマンエラーを減らし、事故死者を更に減らすには「自動運転技術の実用化」が必要だ。ここで「自動運転の実用化」と言わないのには訳がある。それは、「自動運転の実用化」には技術的問題以上に倫理的価値観という高いハードルがあるからだ。

正義論に関する本を読んだことがある人は「トロッコ問題」を知っているだろう。道徳的ジレンマを論じるときによく持ち出される。いろいろなバージョンがあるが、概略次のようなものだ。

　線路をトロッコ列車が走っている。ブレーキが故障して、このままでは前方線路で作業中の5人がトロッコにはねられて死ぬ。5人が作業している手前には分岐点があり、ここであなたがポイントを切り替えると、トロッコは支線の方に進路を変えるので5人は助かる。しかしその支線でも1人が作業しているので、その場合はその1人が確実に死ぬ。

　あなたが何もしなければ5人は死ぬ。あなたは5人を助けることができる。しかし、その場合、あなたは別の1人を殺す選択肢を選んだことになる。どうするか。あなたは選択の結果についていかなる法的責任も問われない。また、6人とも助かるような方法はないし、あなたが気絶するというような選択肢もないものとする。要は、このまま何もしないで5人が死ぬのとポイントを切り替えて1人が死ぬのとで、どちらがあなたは倫理的に「快い」と感じるかが問われている。

　功利主義的に考えれば、5人を助けて1人を犠牲にした方が良い。カントであれば「5人を助ける」という結果が得られるからという理由で「1人を殺す」ことは仮言命法であり正しくないと言うだろう。しかしトロッコ問題のジレンマの本当の焦点はそこにはない。

　色々な場所で色々な人を対象に行われた実験では、多くの人はポイントを切り替える方を選択する。1人の命より5人の命が大切ということだ。ここで、トロッコ問題の別バージョンが提示される。そこには線路を切り替えるポイントはない。代わりに、線路をまたぐ陸橋があって、そこに立っている人がいる。あなたがその彼又は彼女を線路に突き落とせばトロッコは彼／彼女をひき殺すが、その

場で停止して5人の命は助かるというものだ（線路脇に佇立している人を突き飛ばすバージョンもある）。先ほどはポイント切り替えに賛成した多くの被験者が今回は人を突き落とすことは正しくないと考える、あるいは、突き落とすことを躊躇する。なぜだろう。どこが違うのだろう。あなたはどう感じるだろう。

　トロッコ問題はさらに複数のバージョンを提示するが、この本の主題ではないのでやめておく。私見を言えば、ヒトは基本的に血を見るのは快くないようにできている。人殺しも本能的には「快い」ことではない。しかし、目の前で殺すのではない遠隔殺人についてはこれを忌避する形質は育たなかったのだと思う。近代兵器による戦争が悲惨な結果となる要因もここにある。ナイフで人を殺すなど思いもよらない善良な人間も、国際テロ対策の大義の下ではあるが、ドローン（無人飛行機）を遠隔操作して村を空爆する。同じ人殺しでも、本能的に嫌な感じがする場合とそうでない場合とがあるということである。

　トロッコ問題が示すように、人間は必ずしも合理的に判断しない、あるいは人間の感じ方は必ずしも合理的でない。しかし、わたしはそれを否定的にとらえているわけではない。だから、新しい倫理観を構想するための第二原理に「これまでヒトが育んできた生得の快い感じ方、DNAに刻まれた形質としての快い感じ方と適合するように構想されなければならない」と掲げたのだ[注4]。

　トロッコではなく、わたしの話が脱線したようだ。自動運転と倫理観の話がしたかったのだ。

　自動車を運転しているわたしの目の前を信号無視して飛び出してきた子どもが5人いる。急ハンドルを切れば子どもたちは助かる。しかしその場合は歩道を歩いている子どもを1人撥ね殺すことになる。現実世界でも危険を避けるために急ハンドルを切った結果死傷者が出ることはあるが、「気が動転」していたためとして結果

責任を問われることはまずない。しかし、わたしの代わりに AI が運転していたらどうなるか。自動運転をする AI は「気が動転」しない。この場面でどうすべきかは人がプログラムするのだ。「5 人対 1 人」なら、あるいは「2 人対 1 人」でも 1 人を撥ねるようにプログラムすべきか。そうかもしれない。では「1 人対 1 人」だが一方が老人で他方が小学生だったらどうか。年長者を敬う儒教の人と現代の日本の人とでは結論が違ってもおかしくない。「2 人対 1 人」であっても、2 人が老人で 1 人が子どもだったら、これから春秋を迎える子どもを救うべきという考え方もあり得る。

　この道徳ジレンマを自動運転は乗り越えられるだろうか^(注5)。

　たとえディープラーニングによって AI 自らが思考を深めていくにせよ、「何が正しいか」の初手は人間がインプットするしかないから、初手の失着は人類の未来に危機をもたらすかもしれない。どれだけ学習しても機械にはヒトの「快い」感じ方を獲得することはできない。AI による倫理的価値観の創造がヒトの感じ方と離れてしまわないように警戒しないといけない。

　情報革命と AI の組み合わせは「はじめに」でも触れたようにすでに深刻な問題を引き起こしている。

　スマートフォンはとても便利だ。何でも検索できるし、自分のいる場所のそばにあるお店も教えてくれる。オンラインショッピングもできるし、キャッシュレス決済も進んできた。メール、SNS を通じてトモダチも増えるし、ユーチューブや Amazon プライム・ビデオなどには楽しい映像も満載だ。電車に乗っている通勤客はみんなスマホの映像やゲームに熱中している。

「タダほど高いものはない」と言うが、タダで使えるオンラインサービスは広告料収入で稼いでいる。マーケティングでは如何に顧客の関心を惹きつけるかが肝心だが、既に関心がある、あるいは関

心がありそうな人に売り込んだ方が間違いなく効率的である。だから、オンラインサービス事業者は、スマホ利用者が何を検索しているのか、どんな買い物をしているのか、どんな映画を見ているのかというようなデータを蓄積してユーザの嗜好を分析し、これにユーザの誕生日や GPS データを使って得た「現在地」などの情報を組み合わせて、購買意欲をそそるブランドや読みたい本、誕生日を楽しく過ごせるレストランや、近所にオープンしたフィットネスクラブをタイミングよく提案する。

　問題は、あなたの所在地も、これまでの買い物や行動の履歴も、あなたの嗜好もすべてアプリの運営者に握られているということだ。大手のプラットフォーマーは政府よりも多くの個人情報を持っている。

　犯罪者を捕まえるためには防犯カメラの画像を探し回るよりも、Amazon や Facebook や LINE や Google に尋ねた方が早いだろう。「自分のスマホは自分の好みに合う商品をよく知っているなぁ」と感心している場合ではない。

　フェイクニュースに気をつけるのと同様に、人工知能の提案やバーチャルリアリティの世界の楽しさに踊らされないよう注意が必要だ。あなたの嗜好は、あなたが何に「快い」感じ方をするかを指し示している。AI はヒトが進化してきた過程を逆手にとってあなたを「快い」感じ漬けにすることができる。「快い」感じ方にいっぱい囲まれてあなたは幸せいっぱいだ。しかしそれは人間らしい生き方でもなければ、種の保存に有利な生き方でもない可能性がある。人生そのものがフェイクにならないようにしなければならない。

　（注1）インターネットの匿名性には表現の自由を保障する上で効果があることは事実であるが、弊害の方が大きいと思う。人間社会は顔の見

える社会として成長してきたので、匿名性の社会ではヒトは必ずしも「道徳的に」振る舞えない。「表現の自由」とか「プライバシーの保護」という人権の物語を持ち出してインターネットの匿名性を擁護するのは控えたほうが良い。20世紀にはなかったツールにおいて「表現の自由」を制約しても「国家への抵抗権」が20世紀より弱くなるわけではないし、ダークウェブに見られるように犯罪者やテロリスト、他人を傷つけようとする悪意の者を利する危険の方が大きい。

(注2) 室町時代に流行した舞曲、幸若舞の演目。「人間五十年、化天のうちを比ぶれば、夢まぼろしのごとくなり。ひとたび生を享け、滅せぬもののあるべきか」との一節が有名。

(注3) 1984年のアメリカ映画。ジェームズ・キャメロン監督、アーノルド・シュワルツェネッガー主演。近未来では機械軍と反乱軍である人類の戦いが繰り広げられ、機械側は反乱軍のリーダーの母親を殺すために殺人マシーンであるアンドロイド（ターミネーター）をタイムマシンで過去の時代に送り込む。

(注4) 5人を助けるために1人を犠牲にする思考実験をしよう。5人はそれぞれ心臓や肝臓など身体の別の部位に致命的な疾患があり、臓器移植を受けない限り死ぬ。ここで5人の臓器移植に適した臓器を持つ彼又は彼女がいる。そこで彼/彼女を殺してその臓器を移植してこの5人を救う。先ほどのトロッコ陸橋バージョンでは彼/彼女を突き落とすことができた人もこれには賛成しない（わたしもできない）。どこがちがうのだろう。

(注5) メーカーごとに異なる道徳を採用したり、ユーザがどの道徳にするか自動車購入時に選択したりするというのは、メーカーの開発者やユーザがその精神的負担に耐えられないだろう。しかし国が基準を定めるとなれば道徳の教科書どころでない騒ぎになるかもしれない。

4. 生病老死。生きることの意味

お釈迦様（ガウタマ＝シッダールタ；ブッダの日本での呼称。シャカ族の王子だったから）が入滅（煩悩のない状態、生死を超

えた世界に入ること。事実としては亡くなられること）して500年間（あるいは1000年とも）は正しい教えが行われる時代があり（正法）、次の1000年は形ばかりの時代がきて（像法）、その次には人も世も乱れた時代がくる（末法）、というのが末法思想だ。日本では、平安時代半ば、摂関政治の最盛期のころ末法が近づいてくると広く信じられ、西暦1052年が末法元年だとして人々は怖えたという。私が中学生の頃も「ノストラダムスの大予言」によって1999年7の月に人類は滅亡するとされていて、かなり深刻に受け止めていた人も結構いたと思う（今はみな口を拭って忘れたふりをしている）が、平安時代の人のおそれ方はノストラダムスの比ではなかったろう。天災も火事も強盗その他治安の悪化もみな末法のせいになった（これもひとつの「物語」である）。市の聖空也上人（903－972）や恵心僧都源信（942－1017）が布教を展開する中で末法思想と浄土教が広まっていった。

　西の方、十万億の仏土を過ぎた彼方の地には極楽浄土がある。阿弥陀仏（阿弥陀如来。語源は量りしれない光を持つ者を意味するアミターバ(注1)。如来はブッダの称号のひとつ）は、一切の衆生を救済することを発願し、誓いを立てて修行して仏となった。そして、衆生が死んだのちに安楽に過ごせる場所として極楽浄土を打ち立てた。阿弥陀仏はいまも極楽浄土で説法をしていると言う。極楽浄土は清浄で光り輝く華やかな世界だ。暑くも寒くもなく着るもの食うもの思いのままで、一切の苦はなく楽のみがある。

　庶民は、出家して仏門に入り、修行したりお経を唱えたりして死んだら仏になる（成仏する）だけの余裕はない。浄土教はこのような庶民に、阿弥陀如来におすがりして死後は極楽浄土に往生することを誘う教えだ。そのために必要なのは、阿弥陀仏の名前を唱えて救済を求めること。「南無阿弥陀仏＝なむあみだぶつ」とは、感嘆符「南無」（信仰告白「私は帰依します」）を意味するとも

される）の後に「阿弥陀仏」を加えて「あぁ阿弥陀如来さま」と呼び掛けているのである。仏の名前を念じて唱えるから「念仏」という[注2]。

　平安時代末期、法然上人（1133－1212）は修行のすべてを退け、もっぱら念仏を唱えることにより往生すべしとの教え（専修念仏）を広めた。九条兼実のような摂関家をはじめとする中央貴族だけでなく、庶民や地方にもその教えは広まり、法然を元祖とする宗派は浄土宗と呼ばれるようになった。

　法然上人の教えは、阿弥陀如来の本願は「一切の衆生を救いたい」ことにあるから阿弥陀仏の名前を唱える（称名念仏）ことでそのお力にすがることができるというものであったが、その弟子の親鸞聖人（1173－1263）はその教えをさらに進めた。親鸞は、阿弥陀如来を信じて最初に念仏を唱えたときに往生は定まっているから、以後の念仏は極楽に往生するためではなく、如来への感謝（報恩）のものだと説く。親鸞の教えは後に一向宗、浄土真宗と呼ばれる。

　さて、親鸞の弟子に唯円（1222－1289）がいて、彼の作と伝えられるのが『歎異抄』だ。親鸞滅後の宗派内の「異論・異端」を「嘆いて」、親鸞から聞き覚えたことなどを親鸞の孫に伝えたとされる。「善人なをもて往生をとぐ、いはんや悪人をや」[注3]。自分の力を頼りに修行することもない人間が阿弥陀如来の本願のみを頼りにすることこそ極楽への往生につながる（絶対他力の「他力本願」）ことも書かれている。『歎異抄』の中でわたしに印象深いのは次の件だ。以下意訳する。唯円が「念仏を唱えても、躍り上がりたい喜びの気持ちも起きないし、早く死んで極楽浄土に行きたい気持ちも起きないのはどうしたことか」とお尋ねすると、聖人は「唯円房、お前もか。自分も同じような気持ちだ。よく考えてみれば、躍り上がるように喜ばないのはもう往生することは決まっているから

だろう。喜ぶべきなのに喜ばないし、早く極楽浄土へ行きたいどころか少しでも病気をすると『死んでしまうのではないか』と心配するのは、我々凡人の煩悩だ。阿弥陀如来はこうした煩悩いっぱいの凡夫のことを承知の上で一切衆生を救うとの本願（『他力の悲願』）を建てられたのだ。こうして煩悩に悩まされると阿弥陀如来の本願はますます頼もしく感じられるし、往生すること間違いなしだ」と答えられた[注4]。

　人は必ずいつかは死ぬ。みんなそのことは分かっている。病気で、事故で、毎日多くの人が死んでいく。日本人が1億2千万人以上いるから、仮に平均して100歳まで生きるとしても100で割った120万人は毎年死んでもおかしくない（2019年には日本人140万人弱が亡くなった）。毎日3千〜4千人死んでいる勘定だ。でも、一人ひとりに聞いてみれば分かるが、みんな、当分「自分は」死なないと思っている。

　人間は生まれた時から死への道を歩み始める。今日一日生きた、ということは、今日一日死に近づいたということだ。死はある日ある時突然訪れる。みんなそのことは分かっている。でも自分は「当分は」死なないと思っている。「いつかは死ぬ」という言い方自体、何の根拠もないのに「今は死なない」と言っているのと同じことだ。「そのことは分かっている」と言いながらみんなそのことから目をそらしている。

「死」について整理して考えてみる。

　　1　私たちは必ず死ぬ

　　2　いつ死ぬかはわからない

　　3　私たちは「死」を経験することはできない

4　だから「死」は私たちにとって恐怖だ

　5　ではどうしたらよいか

　1点目については「当然だ。分かっている」と言うだろう。しかし、永遠の命を与える霊薬（れいやく）を求めて徐福（じょふく）を東海に旅立たせた秦の始皇帝（前259－前210）の例を出すまでもなく、不老不死を人類は夢見続けてきたのだ。医学の進歩は遺伝子の操作を通じていつか老化をも克服するかも知れない。しかし、有性生殖により自己の複製を種の保存によって成し遂げることを選択した時点で、有性生殖を終えた個体の死は、避けることができない、必然でかつ必要なこととなっている。人類が不老不死を手に入れたとしたら、それは人類の終焉（しゅうえん）を意味する。不老不死を拒否するのがヒトとして、生命として、正しいあり方だ。

　不老不死とは言わなくても、適度のトレーニング、バランスのとれた食事、サプリメントの摂取などするのは結構なことだ。しかし、これらの積み重ねは、明日生きていれば元気である確率を高くするかもしれないが、明日生きていることを保証するものではない。

　2点目（いつ死ぬかはわからない）は、この問題のミソだ。

　いつか必ず死ぬのに、いつ死ぬかは分からない。

　いかなる次の瞬間にも「死」が自分を訪れる可能性がある。だから、常に死を覚悟して生きる、というふうに人間はならない。どんな立派な人も余命1カ月の病と告げられた時にはじめて「人は必ず死ぬ」ことを本当に理解し、絶望する。「いつ死ぬか分からない＝今日明日のことではあるまい」となる。そして、来週のデートや夏休みの旅行の予定をいれて、それまでは死なないことにして、自分の死を少しずつ向こうに追いやるのである。

　『伊勢物語』は『源氏物語』などに先立つ平安時代の文学で在原業

平（825－880）を主人公としたとみられる物語であるが、その最後の第百二十五段には彼の辞世の歌が記されている。「つひに行く道とはかねて聞きしかど昨日今日とは思はざりしを」

　3点目（私たちは「死」を経験することはできない）は、分かっているようで本当に分かっているかどうか確認しておく必要がある。

　臨死体験を語る人はいる。この人は決して嘘を言っているのではないと思う。しかし、この人は、「死にそうになった」のか「生き返った」のかは別として、「死んでしまった」のでないことは間違いない。本当に死んでこの世に帰ってきた人はいない。自らの前世とその死後を語る人は自己暗示にかかった善意の人であるかもしれない。しかし、その話は虚偽であり信用してはいけない。

　死んだらどうなるか、経験することはできない。想像することはできても体験談を語る資格は誰にもない。

　また、話は少し違うが、私たちはひとりで死んでいくしかない。「1人で生まれて1人で死んでいく」(注5)。

　これらのことから、4点目（だから「死」は私たちにとって恐怖だ）が導かれる。頭で考える「私」にとって、不思議、不可知は恐怖だから。

　では、どうしたらいいか。私たちはどう生きるのか。

　多くの人がどうしているかはもう述べた。自分は当分死なないこととして、この問題を忘れる、回避することである。

　別の生き方もある。死後の世界を考え、死んだら良い世界にたどり着けるように毎日を生きることである。正しい生き方をしたり、念仏を唱えたりする。天国や極楽に行く方法、死後の復活をかなえる方法などは色々なことが説かれている。

　この生き方についてわたしの考えを改めて説明する必要はない

だろう。わたしの考えでは肉体を離れた精神（魂）は存在しない。死後にわたしと同一の人格（？）を持った何かが天国（あるいは地獄）や極楽浄土に行くことも、生まれ変わることも復活することもない。死によって、今こうして「考えている私」の存在は全て無くなってしまう。そのように考えると、死ぬことはどれだけ苦しいのだろう、どんなにさみしいのだろう、と不安になるのは仕方がない。この恐怖をなくすことはできないだろう。信仰の力を借りずに、死から目をそらさず、しかも絶望もしないことは、容易なことではない。

　しかしはっきりしていることがある。ここで脅えて悩んでも、やはり死を避けることはできないし、わたしもあなたも次の瞬間に死ぬかもしれない、ということだ。

　だから大事なことはこの命を価値あるものにすることだ。いつも死のことを考えて心配していても仕方がないが、時々は自分が死と背中合わせに生きていることを思い出して、この命を大切に生きることだ。儚いからこそかけがえのない命（注6）。明日とも知れぬ命を充実したものにしたいと思う。

　自分はこの地球の全ての生命の一員で、生命のリレーのメンバーだ。この地球上の生命たちは、種の中に遺伝子を残すことによって「永遠に生きる」道をえらんだ。ヒトはヒトとして進化し、自己を保存するとともにヒトという「種」を保存している。ヒトは社会的動物として、集団を構成し、多くの役割を分担し、分業して繁栄し、種を保存してきた。

　今こうして生きていること自体が生命のリレーの結果として意味のあることだから、まずはそれで十分だ。余力があれば、集団や社会がうまく回っていくように、仕事をして何かの役割を分担したり、世の中に貢献できる人物になれるように勉強したり、日々の生活でちょっとした人助けをできたりしたら素晴らしい。子どもを産

み育てるとなればそれは何にもまして（何しろ「種の保存」の本質である）立派なことである。子どもたちの未来が希望に満ちた豊かなものとなるように様々な分野で多くの人たちが努力している。その中で自分にできることを何かすれば、それこそがアリストテレスが言った「卓越性」の発揮、「最高善」だと思う。

「わたしたちはどう生きるのか」の答えはひとつではないけれど、「生きることの意味」を知れば自分なりの価値ある命の使い方、生き方が見つかるだろう。

（注1）平安時代末に奥州平泉を支配した藤原氏三代秀衡が宇治平等院に摸して建立したという「無量光院」の本尊は平等院と同じく阿弥陀如来である。

（注2）鎌倉時代後半に日蓮宗を開いた日蓮（1222−1282）は、仏教界が様々な経典を元に多くの宗派に分かれている現状を打破すべく、法華経をもってお釈迦様の思想の本質であるとした（法華宗とも呼ばれる）。「南無妙法蓮華経＝なむみょうほうれんげきょう」の言葉の意味は「あぁ素晴らしいダルマ（法）のおしえ」である。「妙法蓮華経」が約300の経典を漢訳した鳩摩羅什（344−413）が法華経に充てた正式訳であり、お経のタイトルを唱えるから「南無妙法蓮華経」は念仏ではなく題目又は唱題という。

（注3）『歎異抄』岩波文庫、1931年、金子校訂「第3段」。

（注4）同「第9段」。

（注5）この言葉の意味は少し微妙である。飛行機が墜落して多くの乗客が同時に死んだら、1人で死んだことにはならないかもしれない。心中する男女や心中する一家は1人では死にたくないから心中するのかもしれない。あるいはこの言葉は自分の死の体験を誰とも共有できないことを嘆いているのかもしれないがこれも怪しい。彼女とジェットコースターに乗って「怖かったね」と語り合ってもお互いどれだけ怖かったかは本当には分からない。そう考えると、「死」だけでなくあらゆる体験は自分ひとりのものだ。

（注6）永遠の命があったら人生は大切に思えないだろう。

余録　キリスト教と明治の日本人

近代西洋哲学のみならず、近代のヨーロッパ文明自体、文化、生活、慣習すべてにおいてキリスト教と分かちがたく結びついている。

ドイツの社会学者で経済学者であるマックス・ウェーバー（1864 - 1920）の手にかかると、合理的な近代資本主義はプロテスタントの世俗内禁欲を背景に成立したとなる（注1）。マックス・ウェーバーは著書で、ピュウリタンの職業的禁欲の内容と同一の内容を持つ「資本主義の精神」の代表としてベンジャミン＝フランクリン（1706 - 1790）をあげている（注2）が、そのフランクリンは道徳的完成に到達しようと思い立ち、13の徳目を選び出した。毎日それらに反する行為をしなかったかどうか顧みて、これを侵していれば小さな手帳（1ページが日曜日から土曜日までの曜日と13の徳目の表になっている）に黒丸を書きつけて反省することで、それらを身につけようとした。フランクリンの13徳は、

節制　飽（あ）くほど食うなかれ。酔うまで飲むなかれ。
沈黙　自他に益なきことを語るなかれ。駄弁（だべん）を弄（ろう）するなかれ。
規律　物はすべて所を定めて置くべし。仕事はすべて時を定めてなすべし。
決断　なすべきをなさんと決心すべし。決心したることは必ず実行すべし。
節約　自他に益なきことに金銭を費（つい）や（や）すなかれ。すなわち、浪費するなかれ。
勤勉　時間を空費するなかれ。つねに何か益あることに従うべ

　　　　し。無用の行いはすべて断つべし。

誠実　詐りを用いて人を害するなかれ。心事は無邪気に公正に
　　　保つべし。口に出だすこともまた然るべし。

正義　他人の利益を傷つけ、あるいは与うべきを与えずして人
　　　に損害を及ぼすべからず。

中庸　極端を避くべし。たとえ不法を受け、憤りに値すと思
　　　うとも、激怒を慎しむべし。

清潔　身体、衣服、住居に不潔を黙認すべからず。

平静　小事、日常茶飯事、または避けがたき出来事に平静を
　　　失うなかれ。

純潔　性交はもっぱら健康ないし子孫のためにのみ行い、これ
　　　に耽りて頭脳を鈍らせ、身体を弱め、または自他の平安
　　　ないし信用を傷つけるがごときことあるべからず。

謙譲　イエスおよびソクラテスに見習うべし。

　である(注3)。
　自らを「長老教会の会員として敬虔な教えを受けて育った」と
いうフランクリンの道徳の徳目である。ではこれら徳目と比べて、
キリスト教に教化されていない日本には道徳はなかったかといえば
そんなことはない。
　同じころの日本は江戸時代だ。今の福島県にあった会津藩には藩
士の子弟を育てる仕組みとして「什」という組織があった。同じ町
内の6〜9歳の子どもを十人程度のグループに分けて、年長者の
リーダーを中心にまとまり、年少者を指導する。主として「什の
掟」を訓示し、違反には審問を経て制裁が科されたという。その
什の掟とは、

一、年長者の言ふことに背いてはなりませぬ

一、年長者には御辞儀をしなければなりませぬ

一、虚言を言ふことはなりませぬ

一、卑怯な振舞をしてはなりませぬ

一、弱い者をいぢめてはなりませぬ

一、戸外で物を食べてはなりませぬ

一、戸外で婦人と言葉を交えてはなりませぬ

の七つと、「ならぬことはならぬものです」だという。[注4]

　子ども向けの徳目であるが、キリスト教がなくても道徳教育は授けられるし、農業革命後の集団・社会の秩序を維持する必要から出た徳目に洋の東西で大きな違いはないとわかる（フランクリンの徳目が産業革命後の世界にとってより適合的であることも見て取れる）。

　しかし、明治維新を経て欧米列強と交際を深める時代には、キリスト教の恩寵から外れた日本人は彼らからまともな人間とは見なされなかっただろう。

　1984年、日本人が最も好きな歴史上の人物が聖徳太子（574？－622）から福沢諭吉（1835－1901）に変わったときに、一躍時の人になったのが新渡戸稲造博士（1862－1933）である（5,000円札の肖像になったから）。「Boys be ambitious」で有名なクラーク博士が去った後の札幌農学校に第二期生として学び、また熱心なキリスト教徒となった（このあたりの雰囲気は、農学校同期生の内村鑑三が書いた『余は如何にして基督信徒となりし乎』〈岩波文庫〉を読むとよく分かる）。後にアメリカやドイツに留学し、京大教授、一高（現東京大学）校長を歴任し、国際連盟事務局次長としても活躍した。

　新渡戸博士が1899年に著した『武士道』は比較的広く読まれて

いるが、わたしが心から感銘を受けたのはその内容ではなく、彼が
この著作をなした動機であり、方法である。

その動機は書籍の序文に示されている。

博士がベルギーの法学者ラブレー氏の家で歓待を受けたとき、散
策をしながら会話が宗教をめぐる話題に及んでのやり取りとなっ
た。

引用する。

「『あなたのお国の学校には宗教教育はない、とおっしゃるのです
か』と、この尊敬すべき教授が質問した。『ありません』と私が答
えるや否や、彼は打ち驚いて突然歩を停め、『宗教なし！　どうし
て道徳教育を授けるのですか』と、繰り返し言ったその声を私は容
易に忘れえない。当時この質問は私をまごつかせた。私はこれに即
答できなかった。というのは、私が少年時代に学んだ道徳の教えは
学校で教えられたのではなかったから。私は、私の正邪善悪の観念
を形成している各種の要素の分析を始めてから、これらの観念を私
の鼻腔に吹きこんだものは武士道であることをようやく見いだした
のである。

この小著の直接の端緒は、私の妻が、かくかくの思想もしくは風
習が日本にあまねく行なわれているのはいかなる理由であるかと、
しばしば質問したことによるのである。

私はド・ラヴレー氏ならびに私の妻に満足なる答えを与えよう
と試みた。しかして封建制度および武士道を解することなくん
ば、現代日本の道徳観念は結局封印せられし巻物であることを知っ
た。(注5)」（新渡戸博士の妻はアメリカ人だった）

新渡戸博士、ラブレー氏の両名とも、道徳教育を授けないと人は
精神的に人として値するものにならないと考えていたことに変わり
はないが、ラブレー氏は宗教と道徳とは不可分一体のものと評価し
ていたのに対し、新渡戸博士は（宗教によらずとも）家庭での躾け

や社会での規範により道徳を身につけられると信じていたことがわかる。

　新渡戸博士は、自分が育った日本を愛し、日本は西洋に伍して文明国になることができることを明らかにするために、なるほど日本人はキリストの神を信仰していないが、宗教によらないでも西洋人と同様の道徳観念を備えていることを証明しようと英語でこの本を著した。(注6)

　相前後して、やはり英文で著された内村鑑三の『代表的日本人』(注7)や岡倉天心の『茶の本』(注8)を読むと、改めて、西洋文明に対峙した明治の日本人の心意気と、明晰さと、切なさに胸が熱くなる。新渡戸、内村には、日本人も立派にキリスト者たり得ることを証明したいとの切実な思いもあったろう。

(注1)『プロテスタンティズムの倫理と資本主義の精神　下』(岩波文庫、1962年)によれば、カルヴァン派の予定説(信徒が神の恩恵に浴するかどうかは、信仰や意志の業績に関わりなくすでに決定している。地上の正義の尺度をもって至高の指図を図ろうとすることは無意味であり、神の威厳を侵すことになる)の下、神の栄光を増すという信徒の使命の働きは現世社会における職業任務の履行のうちに現れるから、職業において禁欲的宗教道徳を実践できることは自分が救われていることを確信するための最も優れた方法であると考えられた。プロテスタントにおいては従来のキリスト教(カトリック)と異なり、「天職」概念が導入されることによって労働が単なる生活の糧を得る手段でなくなった。「禁欲的な信仰」と「資本主義的な営利活動」が互いに結びつき、そこに生産・商業活動が展開する必要な基盤である「資本主義の精神」が生まれたということである。同書では、オランダ、イギリス、フランスでカルヴィニズムが大規模な政治的闘争の争点となったことと、これらの国で資本主義が発達したこととは、関連があると主張される。

(注2)フランクリンは、アメリカの独立に大いに寄与した政治家であると

ともに著述家で物理学者だ。凧を用いた実験で雷の正体が電気であると証明したことは有名であり、起業家としても成功した。アメリカの100ドル紙幣の肖像になっている。『フランクリン自伝』は大変面白い。偉人の手になる自伝は数あるが、同書と福沢諭吉の『福翁自伝』とヘレンケラーの『わたしの生涯』はおすすめだ。

（注３）『フランクリン自伝』岩波文庫、1957年、松本・西川訳、第六章。

（注４）會津藩校日新館ウェブサイトから。

（注５）「BUSIDOU, THE SOUL OF JAPAN」1899年。
　　　　『武士道』岩波文庫、1974年、矢内原訳「第一版序」。

（注６）余談になるが、アメリカの26代大統領セオドア・ルーズベルトが日露戦争の講和会議に際し、日本に示した特別の好意の背景には、彼がこの本を読んでいたことも与って力があったという。

（注７）「Representative Men of Japan/Japan and the Japanese」1894年。
　　　　『代表的日本人』（岩波文庫、1974年、鈴木訳）のドイツ語版跋において彼は、自分は外国人宣教師によってはキリスト教を学ばなかったが、日蓮、法然、蓮如など敬愛すべき人々により宗教の本質を知り、中江藤樹らが教師となり、日本には上杉鷹山ら多くの立派な主君があり、二宮尊徳など多くの農業指導者があり、幾多の西郷隆盛がわれらの政治家であると述べる。そして、こうした土壌があればこそキリストの言葉が善き実を結び得る旨述べた。彼は、キリスト教「のみ」が人を教化できるのではないと主張した。

（注８）「THE BOOK OF TEA」1906年。『茶の本』岩波文庫、1929年、村岡訳。

明日へのステップ

　1947年、インドの独立とともに初代の首相となったネルー（1889－1964）は、イギリスの植民地時代、独立運動のゆえに刑務所に禁錮刑で収容されていたが、これを「余暇と隔離」と思いなして世界史を執筆した。そして、幼い一人娘に43通の手紙の形でこれを伝え、娘の教育を図った（注1）。そんな話を中学生のころ知

り、それっきり忘れていたのだが、娘たちを残して単身赴任する段になってふと思い出した。ネルーの一人娘のインディラ（1917－1984）は後にインドの首相となった。わたしが小学生、中学生の頃、また大学生の頃のインドの首相だ。

インドの独立運動の父と言えば、「非暴力・不服従」を掲げてイギリスからの独立を勝ち取ったガンディー（1869－1948）だ。ガンディーは、独立後まもなく、彼のイスラーム教との融和策に反対するヒンドゥ教原理主義の手にかかり暗殺された（ちなみにインディラも暗殺された）。わたしが好きな彼の言葉に「明日死ぬかのように生きよ。永遠に生きるかのように学べ」(注2) がある。

死んだら後悔のしようもないが、明日死ぬと知っても後悔しない生き方を目指したいものだと思う。

鎌倉幕府末期あるいは南北朝期に『徒然草』を書いた吉田兼好（1283頃－1350頃）は「命は人を待つものかは。無常の來たる事は、水火の攻むるよりも速に、のがれがたきものを、その時、老いたる親、いときなき子、君の恩、人の情、捨てがたしとして捨てざらんや」と述べた(注3)。死ぬのは避けがたく、待ってくれ、と言っても待ってもらえないし、そのときはすべてのものを捨て残したまま死ななければならない、だから今すぐ出家して、仏教修行に移れ、と繰り返し訴えている。

その一方で、「されば、人、死を憎まば、生を愛すべし。存命の喜び、日々に楽しまざらんや。愚かなる人、この楽しびを忘れて、いたづがはしく外の楽しびを求め、この財を忘れて、危ふく他の財を貪るには、志、満つ事なし。生ける間生を楽しまずして、死に臨みて死を恐れば、この理あるべからず。人皆生を楽しまざるは、死を恐れざる故なり。死を恐れざるにはあらず。死の近きことを忘るゝなり。もしまた、生死の相にあづからずといはば、實の理を得

166

たりといふべし」と言った人のことをその場に居合わせた人々が嘲った話を載せているが^(注4)、どうして、どうして。「死すべきことは忘れずに、生きていることを謳歌せよ。名誉だとか財産といった『外の楽しび』に気をとられるな。そうすれば心も満ち足りるだろう」とわたしも思うのである。

　みんなが毎日を大切に、まごころと思いやりをもって人に接し、人を信じ、自分もまた人から信じられるように生きていけますよう。お互いに助け合い、何があってもあきらめずに、希望を抱いて生きていけますように。

（注１）『父が子に語る世界歴史』としてみすず書房から出版されている。
（注２）Live as if you were to die tomorrow. Learn as if you were to live forever.
（注３）『徒然草』岩波文庫、1965年、西尾校注「第59段」。
（注４）同「第93段」。

　この本の印税は「公益財団法人　日本ユニセフ協会」に寄付されます。

北村　博文（きたむら　ひろふみ）

元国家公務員

生きることの意味
わたしたちはどう生きるのか

2021年8月12日　初版第1刷発行

著　　者　北村博文
発行者　中田典昭
発行所　東京図書出版
発行発売　株式会社 リフレ出版
　　　　　〒113-0021　東京都文京区本駒込 3-10-4
　　　　　電話（03）3823-9171　FAX 0120-41-8080
印　　刷　株式会社 ブレイン

© Hirofumi Kitamura
ISBN978-4-86641-432-4 C0095
Printed in Japan 2021

落丁・乱丁はお取替えいたします。
ご意見、ご感想をお寄せ下さい。